rowohlts monographien
begründet von Kurt Kusenberg
herausgegeben
von Wolfgang Müller

Günther Anders

mit Selbstzeugnissen
und Bilddokumenten
dargestellt von
Elke Schubert

Rowohlt

Herausgeber: Wolfgang Müller
Redaktionsassistenz: Katrin Finkemeier
Umschlaggestaltung: Walter Hellmann
Vorderseite: Günther Anders an seinem 80. Geburtstag (12. Juli 1982)
(Keystone, Hamburg)
Rückseite: In der Reihe «Autoren lesen» liest Günther Anders
am 22. Mai 1959 im 2. Programm des Hessischen Rundfunks
ein Kapitel aus seinem neuen Buch «Das Unvorstellbare»
(Foto: Kurt Bethke, Frankfurt a. M.)

Originalausgabe
Veröffentlicht im Rowohlt Taschenbuch Verlag GmbH,
Reinbek bei Hamburg, August 1992
Copyright © 1992 by Rowohlt Taschenbuch Verlag GmbH,
Reinbek bei Hamburg
Alle Rechte an dieser Ausgabe vorbehalten
Satz Times PostScript Linotype Library, PM 4.0
Langosch Grafik + DTP, Hamburg
Gesamtherstellung Clausen & Bosse, Leck
Printed in Germany
1090-ISBN 3 499 50431 6

Inhalt

Günther Anders, Anfang der vierziger Jahre

Philosophie der Technik

Ein Journalist hat einmal über Günther Anders geschrieben, daß sein Genie in keinem Verhältnis zu seiner Reputation stünde. Vielen mag er wegen seines Engagements in der Anti-Atom-Bewegung, vielleicht noch als Juror des Russell-Tribunals gegen Vietnam und durch seine zahlreichen Stellungnahmen zum Reaktorunglück in Tschernobyl bekannt sein. Das breitgefächerte philosophische Werk von Günther Anders hat jedoch nicht die Beachtung gefunden, die es verdient. Auf dessen Darstellung liegt der Hauptakzent dieser Monographie.

Günther Anders war überdies ein genau beobachtender Zeitzeuge der Emigration während des deutschen Faschismus und hat ihre Auswirkungen auf sein Denken und das der anderen in zahlreichen Tagebuchaufzeichnungen pointiert beschrieben; nach seiner Rückkehr erwies er sich als unbequemer Beobachter der geistigen Verfassung einer Bevölkerung, die nach dem Zusammenbruch des Nationalsozialismus nur noch vergessen und verdrängen wollte. Durch seine oft wiederholte, drängende Mahnung, unsere moralische Phantasie angesichts der zu erwartenden Katastrophe durch die Atombombe zu erweitern, gilt er manchen Zeitgenossen als ständige Erinnerung an eine Gleichgültigkeit, die sich aus einem bequemen und unreflektierten Denken speist.

Entscheidend für die Ignoranz gegenüber Günther Anders' Schriften und die Weigerung, sie in den sozialwissenschaftlichen und philosophischen Diskurs aufzunehmen, ist, daß er die abendländische Philosophie und den ihr inhärenten Egozentrismus des Menschen radikal in Frage stellt. Nicht der Mensch ist «Herr der Schöpfung», sondern die Technik, der er als defizitäres Wesen gegenübersteht und die in letzter Konsequenz zu seinem Verschwinden führen wird. Anzuerkennen, daß der Mensch vom Zentrum an die Peripherie verbannt sein soll, fällt schwer und löst zunächst einmal Widerspruch aus. Trotzdem ist Günther Anders kein Nihilist, niemand, der den Rückzug und die Resignation als Alternative anpreist. Ganz im Gegenteil, und das ist die zweite Provokation, mit der sich ein aufmerksamer Leser seines Werks konfrontiert sieht: Günther Anders – obwohl kein Utopist – empfiehlt eine «schizophrene» Haltung, nach der wir trotz des drohenden Weltverlustes und der Erkenntnis unserer Unfähigkeit, diesen aufzuhalten, für den Erhalt der Welt kämpfen sollen.

Für Günther Anders, «Kassandra und ewiger Mahner», wie er mit leicht geringschätzigem Unterton in den Feuilletons genannt wird, ist sicherlich das Engagement gegen die Atomgefahr zum entscheidenden Movens seines Schreibens geworden. Dabei umfaßt sein Werk zahlreiche Gedichte, Erzählungen und Fabeln. Sein umfangreicher Roman *Die Molussische Katakombe*, eine Parabel auf den Faschismus, wurde 1992 nach über 50 Jahren veröffentlicht. Eine Auseinandersetzung mit seinen literarischen Schriften muß jedoch einer anderen Untersuchung überlassen werden. Unberücksichtigt sollten aber auf keinen Fall seine zahlreichen Aufsätze zu Kunst und Literatur bleiben, in die entscheidende Elemente seines philosophischen Werks eingeflossen sind. Eine Darstellung seiner literatursoziologischen Arbeiten findet sich im letzten Kapitel dieser Monographie, als Beleg dafür, daß auch Günther Anders noch Hoffnungen hat, auch wenn er es immer wieder bestreitet, die Hoffnung in die Kunst als adäquaten Ausdruck des Zustands der Weltlosigkeit des Menschen allemal.

Günther Anders ist fast so alt wie dieses Jahrhundert, und sein Leben spiegelt facettenartig die Geschichte unserer Zeit, Begegnungen mit großen Denkern und die rasante technologische Entwicklung wider. Vier Ereignisse haben sein Leben und Werk entscheidend geprägt: der Erste Weltkrieg, Hitlers Machtübernahme 1933, Auschwitz und als Endpunkt aller Geschichte: Hiroshima. Als Chronist hat er sehr genau und in einer Vielfalt literarischer Formen beschrieben, wie es um den Menschen des 20. Jahrhunderts bestellt ist. Günther Anders hat in jeder Hinsicht von seinen Erfahrungen profitiert und sie in eine Sprache umgesetzt, die von dem Anspruch ausgeht, nicht nur die Philosophen, sondern einen größeren Leserkreis zu erreichen, weil das Thema, dem er sich seit Jahrzehnten verpflichtet fühlt, von einer so eminenten Tragweite ist, daß es nicht einer kleinen Gruppe überlassen bleiben sollte.

Kindheit und Jugend

Seine früheste Kindheitserinnerung datiert Günther Anders auf das Jahr 1906, als die Mutter dem Vierjährigen sein Geburtshaus zeigte und ihm sagte, daß er dort zur Welt gekommen sei. Den «ontologischen Erkenntnisschock», der durch diese Mitteilung ausgelöst wurde, beschrieb er 1966 in der auf einer Polen-Reise entstandenen Tagebuchsammlung *Besuch im Hades*:

Schließlich besagte der Ausdruck ja, daß mir die Welt z u v o r g e - k o m m e n war, daß ich zu ihr, die bereits vor mir existiert hatte, d a z u g e k o m m e n war, und daß ich vorher, weiß der Himmel was, wahrscheinlich ... «tot» gewesen war, «noch tot» also, und tot wahrscheinlich sogar – es war nicht auszudenken – Ewigkeiten lang.[1]

Breslau, 1923

Der Vater William Stern

1902 wurde Günther Stern (der sich seit Anfang der dreißiger Jahre Anders nennt) als zweites Kind des Psychologen William Stern und seiner Ehefrau Clara in Breslau geboren. Der Geburtsort sollte ihm 80 Jahre später das zweifelhafte Angebot des «Andreas-Gryphius-Preises zur Pflege des ostdeutschen Kulturgutes» einbringen, der von einer Stiftung der Vertriebenenverbände vergeben wurde. Die Empörung über dieses Ansinnen, denn nichts lag ihm ferner, als die Rückforderung ehemals deutscher Gebiete zu unterstützen, ist seinem 1985 publizierten Ablehnungsschreiben anzumerken: *Verursacht war diese deutsche Tragödie und der Verlust ehemals deutscher Gebiete nicht etwa durch eine spontane, gar*

Die Mutter Clara Stern, 1921

kriminelle, Invasion östlicher Feindmächte, sondern ausschließlich durch Deutschland. Durch Hitler, der, nach der schändlichen Gleiwitzer Posse 1939, den Osten überfallen, alle Dörfer und Städte verwüstet und Abermillionen umgebracht hat ... Und e r war es, e r war es schon sechs Jahre vorher gewesen, der die von Ihnen tief betrauerte Entdeutschung Breslaus und Königsbergs durchgeführt und dann 1944 und '45 die zwei Städte verwüstet, damit jeden Anspruch Deutscher auf dieses Gebiet verwirkt hat. Wenn meine Geburtsstadt nun seit vierzig Jahren einen anderen Namen trägt als in meiner Kindheit, so ist das s e i n e Schuld und die der Seinen: derer, die so verführbar gewesen waren.[2]

11

Die Schwester Hilde Stern

Der Vater war ein berühmter Kinderpsychologe, dessen bekanntes, auch heute noch vielzitiertes Standardwerk, «Die Psychologie der frühen Kindheit», 1914 erschien. Das Buch zeugt von einer bedeutenden theoretischen Einsicht in die erblichen und umweltbedingten Faktoren der kindlichen Entwicklung und beeinflußte nicht unwesentlich das Werk des Entwicklungspsychologen Jean Piaget. Objekte von William Sterns Forschung waren die eigenen Kinder Hilde, Günther und Eva, über deren Entwicklung die Mutter Tagebuch führte: «...so hoffe ich dem Fehler mancher anderer Schriftsteller – eine Kinderpsychologie vom grünen Tisch zu bieten – entgangen zu sein... Freilich sind alle eingehenden wissenschaftlichen Kindesbeobachtungen bisher nur an Kindern der gehobenen Stände ausgeführt worden; und hierin liegt wiederum eine Grenze dieses Buches, das seine Beispiele nur aus jenen Schichten zu entnehmen vermag.»[3] Damit charakterisiert William Stern im Geleitwort zur Erstausgabe die Schwächen und Stärken des Buches. Für eine ausführliche Biographie von Günther Anders könnte «Die Psychologie der frühen Kindheit» von großem Nutzen sein. Es beschreibt die Entwick-

Die Schwester Eva Stern, 1907

lungsphasen des kleinen Günther Stern bis zu seinem zehnten Lebensjahr, folgt seiner zeichnerischen und sprachlichen Entwicklung und seinen ersten Versuchen auf dem Klavier in der Geborgenheit eines großbürgerlichen Elternhauses, das den Kindern eine umfassende Ausbildung ihrer künstlerischen Fähigkeiten und Interessen bot. Seine Mutter über den Fünfjährigen: «Günther besitzt, wie sich später erwies, eine überdurchschnittliche musikalische Begabung, er übertrifft seine Schwestern bedeutend... Heute musizierte der Vater mit den Kindern. Günther sang etliche Kinder- und Volkslieder ganz richtig. Es wurde ihm dann erlaubt auszuprobieren, ob er sich eine Melodie (mit einem Finger) zusammensuchen könne. Da packte ihn ein ehrgeiziger Eifer, er probierte und probierte, wischte dazwischen mal an den Augen, aus denen schon ein feuchter Glanz schaute – die Tränen sind ihm stets nahe, wenn der Ehrgeiz Gast ist –... Er rief uns freudig erregt zu, er könne Klavier spielen, und in eifriger Hast überzeugte er uns von seinem Können.»[4]

In einem Vorwort zur Neuauflage der «Psychologie der frühen Kindheit» 1952 schrieb Anders nach der Selbstbegegnung mit der eigenen

13

Günther Stern (Anders)

Vergangenheit, *daß bei der Lektüre eine Verschiebung, ja ein Schwindel des Zeit- und Altersbewußtseins eintrat*[5]. Nicht nur wegen dieser Zeitverschiebung, sondern, wie Anders feststellt, weil die Generation seiner Eltern eine ahnungslose war im Gegensatz zu der ihrer Kinder, deren Leben durch Verfolgung, Krieg, Exil und das Grauen von Auschwitz geprägt war. *Die unsäglichen Desillusionierungen, aus denen unser Leben bestand, geben uns Jüngeren das Gefühl, die Älteren zu sein; und manch einer bringt sich um echte Einsichten, weil er sich geniert, die Erfahrungen der in diesem Sinne «Jüngeren» ernst zu nehmen.*[6] William Stern, der die Gefahren von 1914 und 1933 ignorierte, glaubte – im Gegensatz zu seinem Sohn – an die Möglichkeit einer positiven Veränderung der Menschen. Diese optimistische Weltanschauung ist unzweifelhaft neben den empirischen Untersuchungen in sein Werk eingeflossen.

Anders beschreibt seine Eltern als assimilierte Juden; die Vorfahren seines Vaters gründeten eine Reformgemeinde, die den Anschluß an die nichtjüdische Gemeinde suchte und gemeinsame Gottesdienste mit Christen abhielt. *Und wenn mein Vater betonte – und das hat er immer getan, wenn die Rede auf jüdische Fragen kam –, daß er sich ungleich mehr deutsch als jüdisch fühle, dann hat er ganz gewiß die Wahrheit gesprochen. Etwas anderes freilich ist es, ob er von den Nichtjuden... als Mitdeutscher oder eben als Jude angesehen wurde.*[7]

Sein Vater war, wie die meisten Juden seiner Generation, überzeugt, daß der aufkommende Antisemitismus in Deutschland nur eine periphere, vorübergehende Erscheinung sei. Im Jahre 1906 – genau am 12. Juli –, dem vierten Geburtstag von Günther Stern, wurde die Revision des Dreyfus-Urteils in Frankreich von den Vätern als Triumph der Gerechtigkeit gefeiert, unter anderem auch deshalb, weil sie sicher waren, eine derartige antisemitische Kampagne sei in Deutschland ausgeschlossen. Denn die deutschen Juden begriffen sich als integrierter Bestandteil des Kaiserreichs, statteten als Symbol der Anpassung ihre Kinder mit Matrosenanzügen aus, als das Reich die Weltherrschaft zur See anstrebte. Anders beschreibt diese Zeit als eine der Ahnungslosigkeit, in welche die klugen Väter nach ein paar Jahrzehnten ohne Verfolgung mit grenzenloser Naivität gefallen waren. Obwohl William Stern sich nicht der jüdischen Religion verbunden fühlte, lehnte er 1911 die christliche Taufe ab, die als eine «kleine Formalität» die einzige Bedingung für die Übernahme eines Ordinats für Psychologie an der Universität Berlin darstellte.

Es war also eine typische assimilierte jüdische Familie des Deutschen Kaiserreichs, in der Günther Anders als behütetes und in seinen künstlerischen Neigungen gefördertes Kind aufwuchs. *Ich hatte zu viele Begabungen und hatte der Versuchung, auf allen Gebieten herumzudilletieren, lange Zeit nicht ausreichend Widerstand geleistet*[8], meinte er im Rückblick auf seine Jugend. Und obwohl die Familie keine Gottesdienste besuchte, die jüdischen Feiertage nicht einhielt und die Kinder atheistisch erzogen wurden, lassen sich vereinzelt Elemente der jüdischen Religion in seinem Denken aufspüren. Er selbst bezeichnet die Einhaltung des jüdischen Bilderverbots als eine wichtige, auch sein philosophisches Werk beeinflussende, Verhaltensregel. Und obwohl ihn seine Eltern zur Toleranz gegenüber anderen Religionen und Weltanschauungen erzogen, hat ihn schon als Kind die tausendfache Nachbildung des ans Kreuz geschlagenen Christus angewidert. Vom jüdischen Bilderverbot beeinflußt ist für Anders ohne Zweifel der Philosoph Karl Marx: *In den von ihm bekämpften Ideologien, die er als ‹falsches Bewußtsein› denunzierte, hat er die klassengemachten und zu stürzenden Götzen seiner Epoche gesehen, die Idole, die den Beherrschten aufgezwungen wurden, bis die so Gezwungenen ihr falsches Bewußtsein für ihr eigenes hielten und für dessen Verteidigung sogar ihr Leben zu wagen bereit waren.*[9] Daß Anders' Kindheit von den Problemen der Assimilation nicht unberührt war, beweisen die Erinnerungen in seinen Tagebüchern *Die Schrift an der Wand.* Brüche deuten sich an, die damals noch im Unbewußten verblieben, 1966 aber mit erstaunlicher Klarheit wieder an die Oberfläche drangen: Der Ausbruch des Ersten Weltkriegs 1914, als der Kaiser keine Parteien mehr kannte, sondern nur noch Deutsche, wurde von vielen deutschen Juden als Chance für ihre Integration als gleichberechtigte Bürger begriffen. Der zwölfjährige Günther Stern, der mit seinen Freunden Lebensmittel für die Soldaten sammelte, beobachtete seine Mutter, deren Bild ihm noch 50 Jahre später fast fotografisch im Gedächtnis erscheint: Zusammen mit den anderen Frauen verteilt sie, unermüdlich und ohne sich eine Pause zu gönnen, Verpflegung an die abrückenden Soldaten und demonstriert damit ihre grenzenlose Bereitschaft für die Sache des Kaisers.

...auch dein Gesicht kann ich ja einen Augenblick erkennen, deine Oberlippe ist verschwitzt, genauso wie die anderen Cäcilien trägst du eine Gretchenfrisur...ein alttestamentarisches Gretchen bist du; aber gerade deshalb (denn du mußt ja etwas beweisen, nämlich dich, und du bist ja froh darüber und dankbar dafür, daß dir durch diesen großen vom glühenden Augusthimmel heruntergefallenen Volkskrieg endlich einmal die Gelegenheit vergönnt ist, diesen Beweis anzutreten) gerade deshalb...bist du...die Muster-Cäcilie; die enthusiastischste, die zuverlässigste, die deutscheste... Ja, diese wildgewordene Musterschülerin bist du, Mutter. War das wirklich nötig?[10]

Seine erste Bewußtwerdung darüber, daß er Jude ist – und zwar qua definitionem der anderen –, erfährt Günther Anders im Jahre 1910. Sie resultiert aus einem Wortwechsel mit seinen Mitschülern über den Glauben. Denn der Achtjährige zweifelte an der Grundannahme der katholi-

Urlaub im Riesengebirge. Vor den Eltern Clara und William Stern links kniend
Dora Benjamin, die Schwester Walter Benjamins, rechts von ihr sitzend Eva
Stern, daneben Günther und rechts außen Hilde. Hinter Eva und Günther eine
Freundin Evas und eine Studentin, vor 1914

schen Kirche, nach der jeder Mensch von Geburt an schuldig ist – eine
barbarische Religion, wie er fand. Er wurde von seinen Schulkameraden
mit dem uralten Vorwurf der Kreuzigung Christi durch die Juden zunächst bedroht und dann gemieden. Entscheidend für seine Entwicklung
zum Moralisten sind, wie er in einem biographischen Interview mit Mathias Greffrath («Die Zerstörung einer Zukunft») betonte, die Erfahrungen, die er als Fünfzehnjähriger in einem paramilitärischen Schülerver-
band machte. Die Gruppe war während des Kriegs nach Frankreich zu
einem Ernteeinsatz für die Armee geschickt worden. Hier sah der Jugendliche die ersten Kriegsverstümmelten und die erniedrigende Be-
handlung der französischen Zivilbevölkerung durch die Besatzer. Und

17

Edith Stein als Lehrerin
in Speyer

hier war er zum erstenmal einem offenen, bedrohlichen Antisemitismus ausgesetzt: *Ich war der einzige ‹Nichtarier› in dieser Gruppe, und das war schon damals... Grund genug, um mich zu entwürdigen. Tatsächlich wurde ich jede Nacht gequält, nein: gefoltert; vieles, was 16 Jahre später Hunderttausenden angetan wurde, wurde damals schon mir angetan. Ich war ein ‹Avantgardist des Leidens›.*[11]

Die Karmeliterin Edith Stein ist für Anders das Paradigma der assimilierten Jüdin. Edith Stein, begabte Schülerin von William Stern, später Assistentin von Edmund Husserl in Freiburg, konvertierte in den zwanziger Jahren zum katholischen Glauben und trat als Nonne in den Karmeliterorden ein. Ihre *Über-Assimilation* verhinderte nicht ihre Deportation in einem der endlosen Züge nach Auschwitz, wo sie mit Millionen anderen in den Gaskammern starb. Günther Anders beginnt die Beschreibung ihrer symbolischen Situation mit einem Bild – einer seiner besten Methoden, um einen Gedanken zu verdeutlichen –, und aus diesem Bild entwickelt er

Edmund Husserl

seine darüber hinausweisenden Überlegungen: Anläßlich eines Kostüm-
festes, das William Stern und seine Studenten 1911 oder 1912 (genau läßt
sich das nicht mehr datieren) feierten, entstand ein Foto von der verklei-
deten Gruppe. *Und auf diesem Bild war also Fräulein Stein als Friesin
verewigt – offenbar hatte sie, die Lublinitzerin ... die Chance ergriffen, sich
einmal in ein ganz und gar deutsches Mädel zu verwandeln ... Natürlich
wurden Ediths melancholisch-ghettohafte Züge dadurch, daß sie mit dem
folkloristischen Kostüm kontrastierten, nur noch ... ausgesprochener.*[12]

Zehn Jahre nach dem Entstehen des aufschlußreichen Fotos sollte Anders erneut auf den Namen Edith Stein stoßen, als er Anfang der zwanziger Jahre bei dem damals schon berühmten Phänomenologen Edmund
Husserl studierte. Husserl äußerte seine Betroffenheit über die Entscheidung seiner Assistentin, zu konvertieren und die Aussicht auf eine
glänzende Karriere aufzugeben. Günther Anders bezweifelte, daß Husserl in der Lage war, Edith Stein als Symbol des ‹*Dazugehörens und doch

19

nicht Dazugehörens⟩[13] zu begreifen, mit der nahezu jeder assimilierte Jude konfrontiert war. Auch der Phänomenologe hatte die «Formalität der Taufe» vollzogen, wie Anders später erfuhr, und lehrte im katholischen Freiburg eine strenge Philosophie, in der die Spekulation über Religion keinen Platz hatte.

Trotz der Assimilationsbestrebungen, oder vielleicht auch gerade deshalb, war die Katastrophe, die in die Vernichtungslager führte, nicht aufzuhalten, *denn ob unsereins zählt oder verbrannt wird, das hängt nicht von uns ab, auch nicht davon, ob wir uns zugehörig fühlen... Vielmehr hängt das ausschließlich von denjenigen ab, denen wir uns zuzugehören wünschen, und von dem, was diese gerade im Schilde führen, und wozu sie unser Sein oder Nichtsein verwenden können.*[14]

Mit unübersehbarer Verbitterung wandte sich Anders 1966 gegen die Bestrebungen der Kirche, Edith Stein heiligzusprechen, weil er dies als Versuch einer nachträglichen Rehabilitierung wertete. Von ein paar wenigen Ausnahmen abgesehen, hatten die katholische Kirche und ihre Repräsentanten nichts zur Rettung der Juden vor den Vernichtungslagern unternommen, obwohl Edith Stein mehrmals erfolglos eine Audienz beim Papst beantragte, um auf das Schicksal «ihres Volkes» aufmerksam zu machen.

Für den «naiven» Vater William Stern brach 1933 eine Welt zusammen. Das amerikanische Exil blieb ihm fremd, und an die Sprache seines Gastlandes hatte er sich bis zu seinem Tod 1938 in North Carolina nicht gewöhnt. Er starb, *wenn man dieses Wort verwenden darf, in einem «guten» Augenblick, denn die Furchtbarkeit des Krieges hat er nicht mehr miterlebt und das Wissen um die Massenvernichtung von Menschen ist ihm erspart geblieben*[15].

Günther Anders promovierte 1924 in Freiburg bei Husserl über *Die Rolle der Situationskategorie im Logischen.* Der Einfluß der Phänomenologie ist in seinen Schriften nicht zu übersehen, obwohl es schon während seiner Studienzeit philosophische Differenzen mit Husserl gab. *Peripatetisch machten wir zusammen phänomenologische Analysen, zumeist der Sinne, die er, da er unbewußt das Sehen als das Modell der ‹Wahrnehmung überhaupt› unterstellt hatte, vernachlässigt hatte: der nicht-optischen Sinne, also des Hörens, des Riechens und namentlich der Körperempfindungen – was ihn in große Verlegenheit versetzte, weil bei diesen seine angeblich schlechthin gültige Unterscheidung zwischen ‹intentionalem Akt› und ‹intentionalem Gegenstand› dubios wurde.*[16] Nach der Promotion bot ihm Husserl eine Stelle als Sekretär an, die Anders jedoch ablehnte. Noch schien eine akademische Karriere offen. Im Frühjahr 1925 belegte er zusammen mit Hannah Arendt und Hans Jonas ein Seminar des Freiburger

Clara und William Stern in den USA, Sommer 1936

Günther Anders. Zeichnung von Hans Jonas, 1922/23

Existenzphilosophen Martin Heidegger, der inzwischen nach Marburg berufen worden war. Zunächst übte der charismatische Heidegger auf Anders – ähnlich wie auf seine anderen Schüler – eine unzweifelbare Faszination aus, auch eine Herausforderung, aus der sich später ein differenziertes Verhältnis zu Heideggers Philosophie entwickeln sollte. Als Heidegger seine Hütte in Todtnauberg einweihte, wurde auch sein Student Günther Anders eingeladen. Heideggers Frau gehörte zu diesem Zeitpunkt der nationalsozialistischen Jugendbewegung an und forderte die Studenten zum Beitritt auf. Anders wies sie darauf hin, daß er Jude sei und zu denjenigen gehören würde, die nach Meinung der Bewegung vom öffentlichen Leben ausgeschlossen werden sollten. Nach 1925 reiste er durch Europa, unter anderem durch Frankreich, wo er in Paris als Louvre-Führer arbeitete. Auf einer Fahrt durch Deutschland übernachtete er

Familie Heidegger, Marburg 1924

Günther Anders, 1929

bei Heidegger in Marburg, und es kam zu einer stürmisch verlaufenden Diskussion mit dem Philosophen, bei der es oberflächlich gesehen um die von Heidegger abgelehnten Lebensentwürfe ging, wie beispielsweise dem Reisen, aber indirekt um Politik. *Ich warf ihm vor, daß er eigentlich nur die Zeit, aber nicht den Raum als ‹Existenzial› behandelt habe. Zwar komme der ‹Umraum› bei ihm vor. Aber nicht zufällig heißt ja auch sein opus magnum nicht ‹Sein und Raum›… kurz: ich machte ihm den Vorwurf, daß er den Menschen als Nomaden, als Reisenden, als Internationalen ausgelassen, daß er die menschliche Existenz eigentlich als pflanzliche dargestellt habe, als die Existenz eines Wesens, das eingewurzelt sei an einer Stelle und diese Stelle nicht verlasse. Was ja biographisch auch wirklich auf ihn zutrifft… Ich machte ihm also damals den Vorwurf, daß er dem Menschen noch nicht mal die Beweglichkeit eines Tieres zugestehe, diese jedenfalls nicht als Existenzial behandle, nein, ihn eigentlich als eine Pflanze betrachte, und daß eine solche Wurzel-Anthropologie die ominösesten politischen Folgen nach sich ziehen könnte.*[17] Heideggers Engagement im Nationalsozialismus hat die Schlußfolgerung von Anders hinreichend bestätigt. Wie inzwischen bekannt ist, erschien eine neue Auflage von Martin Heideggers Buch «Sein und Zeit» während des Nationalsozialismus ohne die frühere Widmung an seinen jüdischen Lehrer Husserl. Jahre später, im amerikanischen Exil, veröffentlichte Anders in der Philosophiezeitschrift «Philosophical and Phenomenological Research» unter dem

Theodor W. Adorno, um 1935

Titel *On the Pseudo-Concreteness of Heidegger's Philosophy* eine grundsätzliche Kritik an Heideggers Philosophie. Wesentliche Elemente dieses
Aufsatzes hat Adorno in sein Buch «Negative Dialektik» übernommen
und auf Anders' Verdienst in der Auseinandersetzung mit Heidegger hingewiesen. Anders' Kritik ist fundamental, denn sie setzt schon an den
Prämissen der Philosophie Heideggers an: *Seine ‹Zeugwelt› ist eine des
dörflichen Handwerkers, eine Werkstattwelt. Scheler nannte seine Philosophie zu Recht eine ‹Schusterontologie›. Fabriken gibt es in ‹Sein und
Zeit› noch nicht, die Analysen sind nicht nur un- oder anti-, sondern vor-
marxistisch, nein, sogar vorkapitalistisch. Sofern er in den frühen zwanziger Jahren irgendwelche politischen Neigungen gehabt hat, so waren
diese ... eigentlich nur Abneigungen, so gegen die Großstadt und gegen die
Demokratie ... Im Reichstag eine ‹Quatschbude› zu sehen, war ihm nicht
weniger natürlich als Hitler.*[18]

1925 hatte Anders die Studentin Hannah Arendt bei Heideggers Vor-
lesungen in Marburg kennengelernt. Ihr Kontakt war zunächst unver-
bindlich; erst 1929 trafen sie sich in Berlin wieder, beschlossen, zusammen zu leben, und heirateten ein paar Monate später, denn Anders
wollte sich in Frankfurt als Privatdozent bewerben, und die konven-
tionellen Frankfurter Kreise sollten nicht brüskiert werden. Das Ehe-
paar veröffentlichte einen gemeinsamen Artikel über Rilkes «Duineser
Elegien», mit dem Anders heute nichts mehr anzufangen vermag, und

25

Günther Anders und Hannah Arendt, um 1929

redigierten beide Hannah Arendts Dissertation über Augustinus für eine Veröffentlichung.

Anders arbeitete an einem Habilitationsentwurf. Mit dem philosophisch-anthropologischen Vortrag *Über die Weltfremdheit des Menschen*, den er in der Frankfurter Kant-Gesellschaft vor zwei Mitgliedern des Instituts für Sozialforschung – Theodor W. Adorno und Max Horkheimer –, dem Psychologen Max Wertheimer, dem Theologen Paul Tillich und dem Soziologen Karl Mannheim hielt, erhoffte er den Einstieg als Privatdozent an der Universität Frankfurt. Der Vortrag schien Adorno nicht gefallen zu haben, *da er vermeinte, Freiburger Existenzialdüfte zu riechen... Seinen Heidegger-Verdacht hat Adorno freilich bald öffentlich revoziert.*[19] Man riet Anders, eine Musikphilosophie als Habilitationsschrift einzureichen, eine Entscheidung, die sich als unglücklich erwies, denn Adorno, der selbst eine Musiksoziologie schrieb, lehnte Anders' Arbeit wegen ihrer unmarxistischen Ansätze ab. Und Anders selbst hat später eingeräumt, daß Adornos Musiksoziologie seine Untersuchungen qualitativ weit übertroffen habe. Später empfahl ihm Tillich, noch ein Jahr mit der Universitätslaufbahn zu warten: «Jetzt kommen erst mal die Nazis dran für ein Jahr oder so»[20], eine eklatante Unterschätzung der Si-

Das Institut für Sozialforschung, Frankfurt am Main, 1924

tuation, aber Tillich war nicht der einzige unter den Intellektuellen, der vom Erfolg der nationalsozialistischen Bewegung überrascht wurde.

Günther Anders beschloß 1930, sich nach einer journalistischen Arbeit umzusehen. Er schrieb einen Rundfunk-Essay über *Brecht als Denker*, der den gerade als Autor der «Dreigroschenoper» bekanntgewordenen Dramatiker beeindruckte. Die Empfehlung Brechts an seinen Freund Herbert Ihering brachte Anders eine Einstellung als fester Redakteur im Feuilleton des Berliner «Börsen-Courier» ein. In dieser Zeit schrieb er Artikel über alles mögliche, von der Theaterkritik bis zu den «Vermischten Nachrichten». Eines Tages rief ihn Ihering zu sich und wies ihn auf die unhaltbar werdende Situation hin, daß die Hälfte der Artikel des Feuilletons mit dem Namen «Stern» unterzeichnet waren. Den Vorschlag, ihn doch anders zu nennen, nahm der Feuilletonchef wörtlich: *«Gut», sprach er, «nun heißen Sie also außerdem Anders.» Seit diesem Tag habe ich alle nichtphilosophischen Texte, wie Gedichte und Stories, mit dem Namen Anders gezeichnet.*[21]

Anfang der dreißiger Jahre begann Anders, auch weil er früher als viele seiner Freunde die Bedrohung durch die faschistischen Bewegungen in Europa erkannte, den Roman *Die Molussische Katakombe* zu schreiben. Das Buch, im Phantasieland Molussien angesiedelt, ist eine Parabel auf die faschistischen Herrschaftsmechanismen. Es besteht aus hundert Geschichten, die, ähnlich wie «Tausendundeine Nacht», einen inneren Zusammenhang haben. *Erzählt wurden die Geschichten von Gefangenen, die von der ‹molussischen Gestapo› in einem unterirdischen Gefängnis festgehalten wurden. Die Fabeln, Geschichten und Maximen wurden von den Gefangenen der alten Generation denen der jüngeren weitergereicht, von diesen wiederum denen der übernächsten – bis der ‹corpus der Lehren› nach dem Zusammenbruch der Terrorherrschaft wieder ans Licht kam.*[22] *Die Molussische Katakombe* wurde damals nicht veröffentlicht, das 600 Seiten starke Manuskript gelangte auf abenteuerliche Weise ins französische Exil und hat laut Anders heute seine Funktion vollständig eingebüßt. Einige Parabeln und Gespräche aus Molussien hat ihr Verfasser zur Illustrierung seiner Thesen in sein philosophisches Werk eingestreut.

Meine von Brechts Fabeln nicht unbeeinflußte... Molussische Katakombe war durch ihre Vokabeldemontage und Ideologiekritik... extrem antifaschistisch und stand, wie ich glaube, dem Marxismus sehr nahe. Nicht freilich dem Parteimarxismus.[23] Manès Sperber, in den dreißiger Jahren Lektor des einzigen Pariser Verlags für deutsche Exilliteratur, lehnte das Manuskript mit der Frage ab: *«Und das halten Sie für linientreu?»*[24] Noch 1979 hatte Anders Sperber dieses Verhalten nicht verziehen.

Im letzten Jahr vor der nationalsozialistischen Machtübernahme zeichnete sich die Trennung von Günther Anders und Hannah Arendt ab. Hannah Arendts Biographin Elisabeth Young-Bruehl vermutet ideologische Auseinandersetzungen zwischen den Ehepartnern, denn Hannah Arendt hatte sich intensiv mit dem Zionismus als einzig mögliche Perspektive für die bedrohten Juden in Deutschland auseinandergesetzt, während nach Ansicht ihres Mannes allein die marxistische Bewegung eine Veränderung der gesellschaftlichen Verhältnisse bewirken konnte. Der Antisemitismus war für ihn zunächst ein Nebenwiderspruch, eine der vielen Varianten, durch die sich eine repressive Bewegung auszeichnet.[25]

Exil in Frankreich

Pathologie de la Liberté

Kurz vor dem Reichstagsbrand im März 1933 mußte Günther Anders nach Paris flüchten, weil die Gestapo seinen Namen in Brechts Adreßbuch gefunden hatte. Hannah Arendt blieb noch zwei Jahre in Berlin, um mit einer zionistischen Gruppe die Flucht von Juden aus Deutschland zu organisieren. Schon vor der Machtübernahme durch die Nationalsozialisten war Anders über die Ahnungslosigkeit und Ignoranz seiner intellektuellen Freunde und deren Weigerung schockiert, Hitlers «Mein Kampf» auch nur zu lesen, geschweige denn, sich mit den Zielen eines Politikers zu beschäftigen, der verächtlich «Anstreicher» genannt wurde. Wegen der folgenschweren Unterschätzung Hitlers war die Anzahl der Teilnehmer einer von Anders noch in Deutschland organisierten Diskussionsrunde über «Mein Kampf» verschwindend gering.

In Paris schrieb der Exilant zunächst an der *Molussischen Katakombe* weiter; er war nicht der einzige, dessen Schriften für das Deutschland «danach» bestimmt waren, denn viele Emigranten rechneten damit, in ein oder zwei Jahren zurückkehren zu können. Ihre Aufgabe im Exil war für sie klar umrissen, auf das fremde Land und die neue Sprache wollten und konnten sich die meisten nur bedingt einlassen: *Die Tatsache der totalen Niederlage der Linksparteien mußte erklärt werden. Manche schrieben auch deshalb, weil ihnen jede andere Aktivität versagt blieb, denn es herrschte Arbeitsverbot. Wovon man leben sollte, blieb unklar. Und wovon man gelebt hatte, ist auch nachträglich kaum rekonstruierbar.*[26]

Die Gegenwart war von der Sicherung der Existenz bestimmt, die Hoffnungen waren auf die Bewohner eines zukünftigen freien Deutschland gerichtet. *Diese Texte: die didaktisch-politischen, die politischen Gedichte, die Erklärungen des Faschismus, die Deutung der Niederlage der*

Linken, die Ratschläge, wie man einer neuen Faschisierung Widerstand leisten könne – alle diese Texte waren ja nicht für Frankreich oder Amerika gemeint, sondern eben für ‹übermorgen› – dieses Wort spielte für uns eine beinahe magische Rolle.[27]

Da sich Anders noch keinen literarischen Namen gemacht hatte und die französische Sprache nicht gut genug beherrschte, war ihm die Möglichkeit, als Journalist oder Autor zu arbeiten, verwehrt. Die französische Bürokratie erwies sich für ihn wie für die meisten Emigranten als unüberwindliches Hindernis bei der Arbeitssuche: Die Bedingung für eine Aufenthaltsgenehmigung war der Nachweis einer bestimmten Geldsumme, zugleich war es verboten, einer Arbeit ohne Aufenthaltserlaubnis nachzugehen.

In Paris, dem Mekka der deutschen Exilanten in den ersten Jahren nach der Machtübernahme durch die Nationalsozialisten, hatte Anders Kontakt mit Arnold Zweig, Alfred Döblin und seinem Großvetter Walter Benjamin. *Den kannte ich seit meinem ersten Lebensjahr. Ich kann nicht sagen, daß wir philosophiert hätten. Denn wir waren in erster Linie Antifaschisten, in zweiter Linie Antifaschisten, in dritter Linie Antifaschisten und außerdem mögen wir auch philosophiert haben.*[28] So verwundert es nicht, daß Anders in seiner Pariser Exilzeit, die bis zu seiner Emigration in die USA 1936 währte, sehr wenig veröffentlichte: Die Novelle *Der Hungermarsch*, die französische Übersetzung seines Vortrags *Die Weltfremdheit des Menschen*, die in der Philosophiezeitschrift «Recherches Philosophiques» unter dem Titel *Pathologie de la Liberté* erschien, und den Aufsatz *Une Interprétation de l'A Posteriori*. *Pathologie de la Liberté*, eine philosophisch-anthropologische Studie, deutet schon die Richtung an, in die sich Anders' Philosophie bewegen wird: Im Gegensatz zu anderen philosophischen Systemen interessiert ihn nicht die besondere Stellung des Menschen in der Welt, sondern seine Verlorenheit, seine Definition als unspezifisches Wesen, welches auf keinen bestimmten Lebensstil festgelegt ist und sich seine Welt immer wieder neu schaffen muß. Die Folie der Überlegungen in *Pathologie de la Liberté* ist die Tierwelt, in der jedes Wesen auf ein bestimmtes Terrain verwiesen ist, das es nicht verlassen kann und das ihm keine Entscheidungen abverlangt. Die Menschen haben für Anders entgegen abendländischer Tradition keine überlegene Sonderstellung, im Gegenteil: Sie weisen sich als defizitäre Wesen aus. Nach dem Abwurf der Atombombe auf Hiroshima 1945 verlagert sich die Folie auf die vom Menschen geschaffene Produktewelt, der er wiederum als Mängelwesen gegenübersteht. Gerade die Triumphe der Technik lassen ihn überflüssig und antiquiert erscheinen, und sie sind es, die ihn in letzter Konsequenz zum Verschwinden verurteilen. *Vor dieser veränderten Folie also hat man das Begehren des heutigen Menschen, ein selfmade*

Alfred Döblin, 1924
(links)

Walter Benjamin
in der Bibliothèque
Nationale, Paris,
um 1935 (rechts)

man, ein Produkt zu werden, zu sehen: Nicht deshalb, weil er nichts von ihm selbst nicht Gemachtes mehr duldete, will er sich selbst machen; sondern deshalb, weil er auch nicht Ungemachtes sein will. Nicht, weil es ihn indignierte, von Anderen (Gott, Göttern, der Natur) gemacht zu sein; sondern weil er überhaupt nicht gemacht ist und als nichtgemachter allen seinen Fabrikaten unterlegen ist.[29]

Die Frage, die Anders in seinem Aufsatz *Pathologie de la Liberté* aufwirft, ist nicht nur eine existentialistische oder existentialontologische, es geht ihm nicht nur um die Definition von Freiheit oder der Heideggerschen «Geworfenheit», sondern darum, wie der Mensch von seiner Welt geprägt ist, die er auf Grund seiner «Unfestgelegtheit» selbst entwerfen mußte. Der Begriff von der «Freiheit des Menschen» enthält keine positiven Implikationen, und die Frage nach seinem Wesen kann eindeutig beantwortet werden: *Das Wesen des Menschen besteht darin, daß er kein Wesen hat.*[30] Auf Grund seiner Kontingenz gehört er ebenso wie das Tier

zu den zufälligen Kreaturen. *Das habe ich mit dieser Unzweideutigkeit und Frechheit formuliert, um gegen die unbescheidene und selbstgefällige These zu polemisieren, daß wir nach dem Antlitz Gottes geschaffen seien. Die Betonung der Kontingenz ist im Grunde genommen eine Aussage gegen die Notwendigkeit der Existenz des Menschen auf der Welt.*[31] Jean-Paul Sartre, zusammen mit Anders einer der Juroren des Russell-Tribunals gegen den Vietnam-Krieg, gestand ihm Jahrzehnte später, daß seine These von der «Verurteilung zur Freiheit» nicht unwesentlich von *Pathologie de la Liberté* beeinflußt sei.

In seiner Tagebuchsammlung *Die Schrift an der Wand* wird eine Diskussion entwickelt, die Anders' Denkfigur anschaulich darstellt. Mit einem Freund beobachtet er einen Fisch, der seinem Element, dem Wasser, entrissen auf dem Markttisch liegt und sich weiterhin so verhält, als würde er sich noch in seiner Welt befinden. Der Fisch ist ver-rückt, im ursprünglichen Sinn des Wortes, und kann sich nur stereotyp gemäß seiner Festgelegtheit verhalten. Und der Mensch? *Hat er nicht eine Unzahl von*

*Welten aufgebaut? Gesellschaftsstile jeder Art ausprobiert? Im Laufe der
Geschichte, meine ich? Sind nicht alle künstlich?... Wenn aber alle künstlich sind, wie sollten wir dann entscheiden, welche Welt eine ‹richtige› ist,
ein Lebenselement, und welche nicht? Was soll dann noch die Unterscheidung? Ist nicht jede seiner künstlichen Welten ‹seine› geworden? Und jeder
seiner zahllosen Lebensstile seine zweite Natur?... Weil die erste Natur des
Menschen darin besteht, daß er keine hat... Weil seine Natur eben gerade
darin besteht, daß er seine Welten selbst produziert, und sie wechseln und
immer wieder neu erfinden kann... Und darin liegt eben seine ‹Natur›.
Also in seiner Künstlichkeit. Oder wenn Sie lieber ‹Freiheit› sagen: in seiner Freiheit, so zu sein, oder auch so... Wenn nämlich alle Situationen, da
von Menschen gemacht, irgendwie künstlich sind; und die künstlichen ihm
natürlich werden, dann können wir, wenn wir vom Menschen sprechen, die
Ausdrücke ‹natürliche› oder ‹künstliche› Situationen nicht verwenden.
Die Unterscheidung hat ihren Sinn verloren.*[32] Diese Worte, seine ur-
sprüngliche Position, läßt Anders seinen Gesprächspartner aussprechen,
um ihm später in einem Brief die Veränderung seines Denkens vorzustellen: Die Konsequenz der These von der Unfestgelegtheit des Menschen
wäre die Aufhebung des Unterschieds zwischen der «wahren» und der
«falschen» Welt. Dagegen wendet sich Anders und geht noch darüber hinaus, denn wir befinden uns nun in einer Phase, in der der Mensch durch
die Dominanz der Geräte seiner Welt beraubt werden kann. In dieser
Situation wird er dem Fisch auf dem Ladentisch ähnlich, er wird «ver-
rückt» und unfähig zur Reflexion. *Ich bin fest überzeugt davon, daß unter
Hitler Millionen von Menschen... aus der ‹Welt›, der sie ohnehin schon
perspektivlos eingefügt gewesen waren, endgültig herausgerückt worden
waren; daß viele von denen, die an den Greueln mitbeteiligt waren, ‹keine
Welt› mehr hatten; daß sie in ihrer weltlosen Situation tatsächlich nichts
mehr erkannten; daß sie Menschen als Menschen nicht mehr auffaßten,
nicht mehr auffassen konnten; daß ihnen... ‹im anvertrauten Milieu auch
Vertrautes unvertraut wurde›; und daß schließlich Handlungen, die ihnen
früher unmöglich vorgekommen waren, möglich wurden, weil in dieser
weltlosen Situation, alles gleich möglich und unmöglich schien.*[33] Anders
insistiert, daß gerade aus diesem Grund die Fähigkeit zur Unterscheidung von wahrer und falscher Welt eminent wichtig wird. Denn wenn die
Kategorie der Freiheit in die Moraldiskussion einginge, so würde sie den
einzelnen legitimieren, andere zu unterdrücken, zu quälen und zu töten.
Und keineswegs ist mit diesen Ausführungen die Entschuldung der Täter
und Mitläufer gemeint, sondern eine Beschreibung ihrer Unfähigkeit,
«moralische Phantasie» zu entwickeln; vielleicht ist es auch der Versuch,
Auschwitz als reflexionsloses Mit-Tun in einer falschen Welt zu erklären.
    1988 greift Anders das Thema erneut auf und veröffentlicht seine

Überlegungen unter dem Titel *Die Irrelevanz des Menschen* in der Wiener Zeitschrift «Forum». In einem imaginären Interview verblüfft er einen amerikanischen Journalisten, indem er dem Menschen eine gleiche Valenz wie beispielsweise einer Laus zuspricht. Entscheidend ist, daß sich jedes Lebewesen allein aus seiner Perspektive für relevant hält, also eine *egozentrische Weltanschauung*[34] besitzt. *Negativ – und diese Negation ist sogar die Hauptsache: Daß es kein Lebewesen gibt, das die Existenz anderer Wesen ernsthaft ad notam nimmt, daß wir alle blind füreinander, also sozial Blinde sind. Daß die Tatsache der Getrenntheit der Spezies und der Individuen voneinander mindestens ebenso wichtig ist wie die Tatsache, daß die Welt eine, also ein System ist... Daß gegenseitige Kenntnisnahme nur in den seltensten Fällen in Gang kommt: nämlich nur in Interessefällen.*[35]

In der Anerkennung der Irrelevanz des Menschen als eine Spezis unter vielen auf der einen Seite und der Tatsache, daß ihn Anders seit 60 Jahren zum Gegenstand seiner Philosophie und seines politischen Engagements gemacht hat, liegt ein Widerspruch, der ihm natürlich nicht entgangen ist und den er in seinem Aufsatz thematisiert. Die Diskrepanz zwischen *praktischer und theoretischer Vernunft*[36] hat ihre Ursache in der beschränkten Vorstellungskraft des Menschen, der unfähig ist, etwas anderes als er selbst zu sein. Aus dieser Beschränkung entwickelt Anders die Ansätze einer negativen Anthropologie, deren Axiom lauten müßte: *Die Faktizität der Gattung, der wir nun einmal zugehören, und die der Individualität, zu der jeder von uns nun einmal verurteilt ist, begrenzt das Gebiet dessen, was wir imaginieren oder begehren können. Gültig ist nicht allein Marxens positiver Satz «Das Sein bestimmt das Bewußtsein», sondern auch der negative: «Das Sein begrenzt das Bewußtsein.»*[37] Das Wissen darüber ist für Anders' politisch-praktischen Eingriff tatsächlich irrelevant, findet seinen Ausdruck aber in der immer wieder intendierten Forderung nach der Überwindung der menschlichen Beschränktheit und dem aus ihr resultierenden Hochmut durch einen Akt der Bewußtseinserweiterung, der den Menschen befähigt, mit der Ausbeutung der Welt als Rohmaterial aufzuhören. Nur aus diesem Grund hat Anders seine anthropologischen Thesen und den damit verbundenen «Kontingenzschock» nach so vielen Jahren wiederaufgenommen.

Exil in den USA

Vitae, nicht vita

1936 mußte Günther Anders in die USA emigrieren. In den ersten Monaten seines Aufenthalts in New York wurde er von seinem Vater, der eine Professur in North Carolina angenommen hatte, finanziell unterstützt. Im Gegensatz zu den Mitgliedern des Instituts für Sozialforschung, die später unter dem Namen «Frankfurter Schule» Geistesgeschichte machen sollten und das Kapital ihrer Stiftung geschickt aus

Günther Anders in New York, 1936

Das International
Institute of
Social Research,
New York

Hitler-Deutschland ins Ausland transferiert hatten, mußte sich Günther
Anders mit «odd jobs» durchs Leben schlagen. 1937 ließen sich Anders
und Hannah Arendt scheiden; sie heiratete wenig später Heinrich
Blücher, und der Kontakt zu ihrem ehemaligen Mann brach ab. Anders
lebte drei Jahre in New York und arbeitete unter anderem durch die Ver-
mittlung von Arnold Zweig als Hauslehrer der verwöhnten Tochter von
Irving Berlin. Es war für ihn eine philosophisch dialoglose Zeit, denn
außer ein paar Gedichten in der deutschsprachigen jüdischen Emigran-
tenzeitung «Aufbau» konnte er nichts publizieren. 1939 ging Anders mit
einer befreundeten Schauspielerin, die ein Engagement gefunden hatte,
nach Hollywood.

Arnold Zweig
in New York,
1939

In der Filmmetropole entwickelte er zahlreiche Drehbuchentwürfe und Filmideen, die aber nicht verwirklicht wurden, und arbeitete als Angestellter in einem Kostümverleih. Seine Tätigkeit bestand in der Ausbesserung und Reinigung der Kostüme und Requisiten. Als er eines Tages SA-Stiefel zwischen den historischen Requisiten entdeckte – *welch atemberaubender Optimismus*[38] –, notierte er diese Ironie des Schicksals in sein Tagebuch: *Da ist man also vor den Originalen geflohen, um dann ein paar Jahre später am anderen Ende der Welt in die Gefahr zu geraten, deren Duplikate gegen Bezahlung zu säubern.*[39] Trotzdem konnte Anders seiner stupiden Tätigkeit auch sozialgeschichtliche Dimensionen abgewinnen, die er unter dem Titel *Leichenwäscher der Geschichte* in seinen Tagebüchern zusammenfaßte. Die säuberlich nach Jahrhunderten getrennten und in mehreren Kleidergrößen lieferbaren Kostüme erinnerten ihn an die Tatsache, daß die Menschheit sich nicht nur bedeckte, um gegen die Witterung geschützt zu sein, sondern auch, um den sozialen

Status des einzelnen hervorzuheben. *Unter den Stücken, die hier herum-hängen, ist kaum eines ein Erwärmungsgerät und nur das; fast durchweg sind sie Würde-, Schreck- und Schmeichel-, also Sozialinstrumente.*[40] Schon hier registrierte Anders den Hang der Filmindustrie zur Perfektion; die Stücke waren bis ins Detail geschichtlich korrekt nachgebildet, die Kopie sollte möglichst noch das unvollkommen erscheinende Original übertreffen. Für die historische Originaltreue waren geflohene jüdische Kunsthistoriker aus Europa zuständig, auch eine Ironie, denn sie verpflichteten sich der Echtheit einer «Kultur», vor der sie gerade geflüchtet waren (*Der Flüchtling als Bote*[41]). Mit ihrer Arbeit garantierten sie, daß sich die Dialektik der Dinge vollziehen konnte: Um echt zu wirken, mußten die gerade produzierten Requisiten künstlich schäbig gemacht werden, ein Vorgang, der sich alle paar Monate wiederholte. In der Requisitenkammer der Filmstudios entwarf Anders das Bild einer Gesellschaft, in der Gegenwart und Vergangenheit ihren ursprünglichen Sinn verloren haben. Ein Geschichtsparadox, das sich aus der Erkenntnis speiste, *daß es hier in Amerika nichts Älteres gibt als den ‹good old progress›, während es andererseits nichts Neueres gibt als die Vergangenheit – womit ich meine, daß sich die echten Amerikaner, da sie seit Generationen, und mit Recht,*

Günther Anders in Hollywood

Max Horkheimer
in Santa Monica,
Kalifornien (links)

Herbert Marcuse,
um 1935 (rechts)

auf ihre neue Welt stolz gewesen waren, für die alte Welt, zum Beispiel für das europäische Mittelalter, erst seit sehr kurzem interessierten[42]. Weil das Interesse für die Vergangenheit in einem Land, dessen Bewohner gewohnt waren, sich ausschließlich für die Zukunft und die technologische Entwicklung zu interessieren, von den Behörden als auffällig und konspirativ ausgelegt wurde und sich bei jeder Beschäftigung die Frage nach ihrer Effizienz stellte, ist die Schlußfolgerung der FBI-Beamten bei einer ihrer regelmäßigen Befragungen des Emigranten Anders auf dieser Folie verständlicher: Wenn er Hegel lese, dann sei er ein Marxist, wenn er ein Marxist sei, dann zwangsläufig ein Stalinist und als solcher ein Feind des Staates, denn: *Interesse für das Vorgestern beweist Lust auf Umsturz*[43] – für Anders eine Erklärung des von ihm beobachteten Anti-Intellektualismus in den USA.

1942 lebte Anders vorübergehend in Herbert Marcuses Haus in Santa Monica, *aber auch Marcuse und ich haben nicht eigentlich ‹philosophiert›.*

40

Ich gehörte nirgendwohin. Ich war nicht mehr Heideggerianer ... gehörte
nicht zum Kreis von Adorno und Horkheimer, war niemals Mitglied des
Frankfurter Instituts und gehörte nicht zur Partei. Eigentlich wurde ich
nicht ernstgenommen: von Brecht nicht, weil ich nicht marxistisch genug
philosophierte; von den Akademikern nicht, weil ich mich nicht darauf
einließ, als Gelehrter über die Philosophie anderer zu philosophieren...[44]
Der Kontakt mit den Mitgliedern des Frankfurter Instituts für Sozialforschung beschränkte sich auf einige wenige Rezensionen in ihrer «Zeitschrift für Sozialforschung» und auf die von Horkheimer vermittelte gemeinsame Überarbeitung eines Drehbuchentwurfs für Wilhelm Dieterle.
Hier kam es zu einem Zwischenfall, der ihre ohnehin oberflächliche Be-
ziehung beendete und den Werner Fuld in seiner Benjamin-Biographie
auf Grund eines Gesprächsprotokolls mit Anders erzählt: «Anders kam,
abgeholt vom Chauffeur, eines Abends in Horkheimers Haus, und sie arbeiteten bis Mitternacht. Als er sich dann verabschieden wollte, erschien

41

Frau Horkheimer mit einer Tüte, die sie ihm mitgab. Anders öffnete sie erst zu Hause. Ihr Inhalt waren eine Dose Ölsardinen, eine Tomate, ein Apfel und mehrere Schachteln Streichhölzer. Umgehend telefonierte Anders mit dem Spender, er möge sofort seinen Chauffeur schicken, da er ihm etwas zu übergeben habe. Der Chauffeur kam und holte die großzügige Gabe wieder ab.»[45]

Von nachhaltiger Bedeutung war für Anders nach eigener Aussage die Arbeit am Fließband einer Fabrik in Los Angeles, Erfahrungen, die entscheidend sein bekanntestes Buch *Die Antiquiertheit des Menschen I* beeinflußt haben. *Ohne meine Fabrikzeit wäre ich in der Tat niemals fähig gewesen, meine Kritik des technischen Zeitalters ... zu schreiben. Und noch heute, da ich den zweiten Band dieses Buches vorbereite (Die Antiquiertheit des Menschen II erschien 1980), zehre ich von diesen Erfahrungen. Wenn ich mir einen bescheidenen Namen habe erwerben können, so durch die Erkenntnisse, die ich als total Anonymer hatte erwerben dürfen.*[46]

Gegen Ende des Kriegs arbeitete Anders für das amerikanische Office of War Information in New York, eine Regierungsstelle, die Informationen sammelte, um sie in Deutschland und in den besetzten Ländern über das Radio auszustrahlen. Diese Tätigkeit gab er schon nach wenigen Monaten auf, als er ein Buch über den japanischen Kriegsgegner, das er als faschistoid einstufte, ins Deutsche übersetzen sollte. Seine Kündigung rief Überraschung hervor, denn bei den meist mittellosen deutschen Emigranten war diese Arbeit sehr begehrt, und weder sein Arbeitgeber noch seine Freunde konnten seinen Schritt begreifen.

Als eine richtige Erfahrung im «Falschen» kann man die Exilzeit von Anders interpretieren, wenn man seiner Argumentation folgt: *Denn nur, was nicht paßt, nur was nicht für Sie gemacht ist, nur was hier zu kurz ist oder dort zu lang, nur das Falsche ist das Richtige. Nur das macht erfahren! Nur das ist die Welt! ... Richtig waren allein die Durststrecken dazwischen ... Und wenn Sie ein Minimum von Erfahrung erworben haben sollten, zu danken hätten Sie das ausschließlich diesen Zeiten des angeblichen Zeitverlustes,*[47] rät er in einem fiktiven Dialog dem zweifelnden Bekannten. Ein weiterer Vorteil lag, so paradox es zunächst klingen mag, in der Tatsache, daß die meisten Exilanten nicht für den Tagesbetrieb schreiben mußten, weil die amerikanische Öffentlichkeit an ihren Produkten nicht interessiert war. Wenn es auch für den einzelnen zu einer Reduzierung seines Selbstwertgefühls führte, so hatte er, behauptet Anders, die Chance, Konzepte ohne Termindruck zu verwerfen und Meinungen zu revidieren, ohne daß sie, durch ihren Druck endgültig geworden, dem Schreiber auch endgültig wurden.

Die Sozialgeschichte des Exils, das heißt seiner Auswirkungen auf das Denken und Verhalten der aus Europa in die USA geflohenen Menschen, ist noch nicht geschrieben. Günther Anders könnte hierzu einen entscheidenden Beitrag leisten. In seinen Tagebüchern verstreut, vor allem in dem Band *Lieben gestern*, der erst in den achtziger Jahren erschien, finden sich klarsichtige Beobachtungen und Analysen über die Konfrontation zweier Welten, die in ständiger Wechselwirkung miteinander stehen. Grundsätzlich ist als Prämisse Anders' Feststellung wichtig, daß der Emigrant nicht mehr von einem Leben, das in all seinen Details erinnerbar ist, ausgehen kann: *Deine Bitte um eine ‹vita› setzt mich in Verlegenheit. Ich hatte keine vita. Ich kann mich nicht erinnern. Emigranten können das nicht. Um das Singular ‹das Leben› sind wir, von der Weltgeschichte Gejagte, betrogen worden,*[48] schrieb er 1962 einem Freund, der ihn um eine Biographie gebeten hatte. Den Menschen, der in seinem Kontext gelebt hat und sich dort zu Hause fühlt, erinnert seine Umgebung täglich an die Vergangenheit; alles, was er wahrnimmt, ist ein Stück von ihr. Dem Emigranten, von einer Welt in die andere oder die anderen geschleudert, bleibt die Erinnerung verwehrt. Sein Leben ist Stückwerk, er kann sich nur provisorisch ohne Planung der Zukunft einrichten. An absonderlichen Situationen und Erlebnissen aus Anders' Emigrationszeit fehlt es nicht. So erzählt er in seinen Tagebüchern eine Geschichte, in der sich seine Vergangenheit aus drei Jahrzehnten in einem einzigen Café in New York spiegelte. Hier saßen, an einem einzigen Abend an verschiedenen Tischen verteilt, deutsche Emigranten, denen Anders in seiner Schulzeit, ein Jahrzehnt später bei Husserl in Freiburg und dann in seiner Pariser Exilzeit begegnet war. Diese Personen waren auf einen einzigen Jetztpunkt konzentriert, die Erinnerungen wie in einem Brennspiegel gebündelt, und obwohl sie sich wegen der Zeitdifferenz in Anders' Erinnerung nicht kennen konnten, schienen einige von ihnen sogar gute Bekannte zu sein, durch das Exil in einen kleinen Kreis verbannt, mit dem sie sich begnügen mußten. *Fünfundzwanzig Jahre lang war es mir gelungen, reinlich zu leben, also so, daß die Stadien meines Lebens nicht durcheinandergerieten ... Die Perlenkette der Milieus, der Freundschaften, der Lieben war keinmal gerissen ... kurz: meine vita, mindestens eine Reihe meiner vitae, war übersehbar geblieben.*

Aus damit. Die Kette ist gerissen. Von Reihenfolge keine Rede mehr. Die Motive, die sich in der Komposition meines Lebens in unumkehrbarer Reihenfolge angeordnet hatten, die sind nun alle durcheinandergeraten, alles liegt auf einem einzigen Haufen...[49]

Von nicht geringer Bedeutung war für die Emigranten das Problem der Sprache, denn vor allem die Schriftsteller, Sozialwissenschaftler und Philosophen hatten sich in ihrer Muttersprache an die Öffentlichkeit ge-

Günther Anders in New York, 1945

wandt. Als «Stammelnde» wurden sie nun nach ihren Fähigkeiten des sprachlichen Ausdrucks von den Einwohnern Amerikas beurteilt. Nach einem längeren Aufenthalt im fremden Land entwickelte sich bei nicht wenigen Ausdrucksschwierigkeiten in beiden Sprachen, der neuen Sprache noch nicht mächtig, der alten nicht mehr. Außer Hannah Arendt, Siegfried Kracauer und Herbert Marcuse haben sich nur wenige die Fähigkeit angeeignet, die Sprache des Gastlandes als die ihrige anzunehmen.

Kaum einer der Emigranten aus Anders' Bekanntenkreis hatte sich entschlossen, Kinder in eine ungewisse Welt zu setzen, von der man nicht wußte, ob sie nicht schon morgen in eine andere umgetauscht wurde. Einer Amerikanerin, die in einer Emigrantenrunde unbefangen von ihren Kindern erzählte, begegnete man mit verlegenem Schweigen. *Aufklärung des Zwischenfalls. Die sechs Paare waren zwar durchweg gebildete Leute, aber doch insofern in einem engen Sinne ‹gebildet›, als sie 1933 unfähig gewesen waren, ihre Flucht als (winzigen) Bruchteil eines weltgeschichtlichen Ereignisses aufzufassen; sie verstanden sie vielmehr als katastrophenhaften Zwangs-Umzug. Gekränktheit war ihre einzige Stellungnahme zur Weltlage; und grundsätzlich hat sich daran nichts bei ihnen verändert,*[50] Die Unmöglichkeit einer Lebensplanung hat das «Erwachsenwerden» der Emigranten verhindert, sie sind nach Anders in ihrer pubertären Phase stehengeblieben, zwar nicht biologisch, aber in ihrem gesellschaftlichen Status. *Erwachsen ist der Mensch, der mit seiner bestimmten Rolle in einer bestimmten Gesellschaft rechnen darf; der daraufhin bestimmte Dispositionen treffen kann; und mit dessen bestimmter Funktion auch die Gesellschaft rechnet. Kurz: Erwachsenheit ist gesellschaftliche Identität.*[51] Das gesellschaftliche Defizit fand in der Physiognomie der Exilanten seine Entsprechung; junggebliebene Gesichter kontrastierten mit grauen Haaren. Es scheint Anders, als hätten die Emigranten nur den unangenehmen Teil der Jugend übernommen: das Verharren im Provisorischen, die Unentschlossenheit, das untätige Warten auf eine Veränderung.

Das Leben im Exil veränderte auch die traditionelle Rollenverteilung zwischen Mann und Frau, denn in der Emigration waren die Frauen häufig die Ernährer der Familie, sie arbeiteten als Putzfrauen und Sekretärinnen, während man ihren wissenschaftlich ausgebildeten Männern die meisten Jobs nicht anbieten wollte. Sie blieben zu Hause, mußten den Haushalt versorgen und fühlten sich in ihrem männlichen Selbstwertgefühl gekränkt. Mit ihren Erfahrungen waren daher die Emigrantenfrauen ihren Müttern und Großmüttern um ein Vielfaches überlegen.

Im Gegensatz zu einigen wenigen, wie Anders' früherer Frau Hannah Arendt, die den Entschluß faßte, in den USA zu bleiben, waren die meisten Emigranten nur auf eine Zwischenstation eingerichtet und hofften, an der vor Jahren verlassenen Situation wieder anknüpfen und das Intermezzo so schnell wie möglich vergessen zu können. Es war eine Hoffnung auf Rückkehr nicht nur in denselben Raum, sondern auch in dieselbe (inzwischen längst vergangene) Zeit. Die Schriften der Emigranten, die nach Deutschland zurückkehrten, sind deshalb so aufschlußreich, weil sie durch den Schock, nicht das Gewohnte vorzufinden, scharfsinnige Beobachter des geistigen Zustands der Nachkriegsdeutschen wurden. Ihren Seins-Beweis, der sich auch in dem Denken anderer an sie widerspiegelt, hatten sie längst verloren, denn noch nicht einmal ihre Gegner dachten mehr an sie. Die eine große Sorge der weiteren Lebensplanung wurde – psychologisch verständlich – durch tausend kleine Sorgen verdeckt. In oftmals kafkaesken Situationen, auf der Jagd nach Aufenthalts- und Arbeitserlaubnis, der Schizophrenie ausgesetzt, Geld vorzuweisen, aber keines verdienen zu dürfen, von *ordinären Sorgen*[52] geplagt, verloren sie das Bewußtsein von der Dimension ihrer Vertreibung. *Daß es Tausenden von uns trotzdem gelungen ist, das Unmögliche durchzusetzen... ist heute kaum mehr begreiflich. Damals jedenfalls galt jeder Erfolg als die Ausnahme. Aber es muß unzählige Ausnahmen gegeben haben: Kafka hätte wahrscheinlich vermutet, daß das Durchbrechen der Regel die administrativ vorgesehene Regel gewesen sei, und damit hätte er gewiß nicht ganz unrecht gehabt.*[53]

Lieben gestern

Neben seinen Untersuchungen zur Omnipotenz der Technik sind während Anders' Aufenthalt in den USA *Notizen zur Geschichte des Fühlens* entstanden, wie der Untertitel seiner Tagebuchaufzeichnungen *Lieben gestern* aus den Jahren 1947 bis 1949 heißt, in denen er als Lektor für Ästhetik an der New School of Social Research in New York arbeitete. Seine *Notizen* sind aber keinesfalls bloße Nebenprodukte, denn sie stellen einerseits den Versuch dar, die Gefühle und den Sexus, bisher in der Philosophie kaum beachtet, in ihr Koordinatensystem einzubeziehen, und sind auf der anderen Seite eine luzide Beschreibung amerikanischer Kulturphänomene wie freie Sexualität, Puritanismus und Psychoanalyse. Anders hat, wie er im Vorwort vermerkt, das Tagebuchschreiben nie als eine private Angelegenheit verstanden, vielmehr entwickelt er auf der Folie seiner Alltagsbeobachtungen Thesen, die über verstreute Tagebuchreflexionen hinausgehen.

Eine wichtige Präferenz kommt einer Untersuchung der Geschichte des Fühlens zu, wenn als Prämisse die Unfähigkeit steht, der sich in rasanter Geschwindigkeit verändernden Welt nicht mehr gewachsen zu sein, was eine Veränderung unseres Fühlens notwendig macht. Der Annahme, daß die große Weltgeschichte das Private verdeckt hätte, hält Anders die Dominanz des Privaten bei jedem einzelnen entgegen. *Wirklich hat ja das Private oft gerade dadurch die Gelegenheit gehabt, ganz und ausschließlich privat... zu werden, daß der Zusammenbruch der Welt die Einfügung des Liebesgefühls oder des Liebesverhältnisses in Institutionen und die Einordnung der Liebenden in die Gesellschaft unmöglich machte... Daß andererseits so mancher unserer Generation, durch wirklichen Einsatz für ‹Sachen›... in der Liebe und in anderen mensch-menschlichen Beziehungen (zwar nicht roher, aber doch) nachlässiger, plumper, witzloser, unritterlicher geworden ist, das kann man nicht leugnen. Ewig kann sich ohne Ritter keine Ritterlichkeit, ohne Hof keine Höflichkeit, ohne Salon kein Charme, ohne materiellen Rückhalt keine Rücksicht halten, auch als bloße Spiel-Form nicht.*[54]

Um so wichtiger, auch als eine Möglichkeit der Wiederaneignung des Verlorenen, wird der Blick in die Vergangenheit, die von Anders *als Geschichte sich verändernder Emotionen*[55] untersucht wird. Noch im 19. Jahrhundert war die Liebe, das spiegelt vor allem die Literatur wider, Erlösungsersatz in einer säkularisierten Gesellschaft, und die Lektüre enthielt die Chance, wenigstens in diesem Bereich privat zu sein. Auffällig ist dagegen, daß die Philosophie den Sexus ausspart. Sie gibt sich geschlechtsneutral, oder noch weitergehend: Sie ist von der Dominanz des Männlichen determiniert. Anders vermutet, daß die Auslassungen in der Philosophie dem Wunsch nach Erkenntnis geschuldet sind. *Daß man dasjenige, was man auszuschalten oder zu überwinden suchte, nicht gerade zum Hauptgegenstand des Philosophierens oder gar zum Modell der Kategorien machte, ist begreiflich.*[56] Dabei hat die Sexualität ihre eigene Dialektik im Hegelschen Sinne, sie ist zugleich das Allgemeinste und das Privateste; allgemein, weil sie einen Trieb verkörpert, wie Essen und Trinken, und privat, weil sie in der Abgeschiedenheit zwischen zwei Menschen stattfindet. Die Allgemeinheit deutet sich für Anders auch darin an, daß die Intentionalität nicht auf eine bestimmte Person gerichtet ist, sondern auf das andere Geschlecht überhaupt. Diesen *Sprung ins Allgemeine*[57] interpretiert Anders als *Erlösung aus der Individualität*[58], die ihren Ausdruck in der Kunst gefunden hat. Trotzdem ist der andere auch immer als Mensch gemeint und nicht als «Mittel» im Kantschen Sinne, der in seiner «Metaphysik der Sitten», pointiert formuliert, die Ehe als den gegenseitigen Gebrauch der Geschlechtsorgane definiert. Bei Kant wird der andere zur Sache und die Moral durch die Gegenseitigkeit des in der Ehe legalisierten Genusses gewahrt. Aber

Geschlechtsverkehr ist keine umständliche Variante der Onanie. Ebenso-
wenig gilt die, nur durch totale erotische Ahnungslosigkeit erklärbare Vor-
aussetzung, daß die mit anderen Mitteln zu erzielende Lust identisch sei
mit der enthusiastischen, selbst der ordinärsten Liebeslust. Denn auch das
vulgärste Liebespaar ist eben, in actu, ein Paar, kein Interessenverein zum
Zwecke gegenseitiger Lustgewinnung.[59]

Eigentümlich ist, so stellt Anders fest, daß die Menschen ihr Allge-
meinstes verdecken, während sie ihr auffälligstes Unterscheidungs-
merkmal – das Gesicht – der Öffentlichkeit preisgeben. *Das Individu-*
um schämt sich seines nicht-individuellen Teiles und macht
diesen zum unsichtbaren, dadurch privatesten Teil, den er ‹die
Scham› nennt.[60] Trotzdem liegt Anders durch die Betonung der Allgemeinheit nichts ferner, als den Menschen mit dem Tier gleichzusetzen.
Denn der Mensch ist in der Lage, die Gemeinsamkeiten mit dem Tier
vermittels Sprache, Kunst, Scham und Erinnerung zu etwas Spezifischem
zu machen. *Mit hundert Einzelzügen könnte man die Humanität des*
Sexus belegen: Daß wir uns dabei einander anblicken... daß wir
jemanden lieben, nicht nur zu lieben lieben oder gar nur lieben müs-
sen; daß wir nicht zwei Vorderläufe haben, sondern Arme, frei für
Zärtlichkeiten; daß wir frei sind, den Winter zum Frühling, den Tag
zur Nacht zu machen... daß wir, durch Tabuierung, die körper-
liche Spannung raffiniert steigern und daß wir die Entspannung
in Heiterkeit verwandeln. Es gibt nichts Menschliches, das nicht
sein Licht oder seinen Schatten auf jene Wurzeln würfe, die
wir teilen mit dem vor-menschlichen Leben.[61] Wenn man also
davon ausgeht, daß der Geschlechtstrieb etwas Allgemeines ist, das auf
keine bestimmte Person ausgerichtet ist, so wohnt ihm ein anarchischer
Zug inne, der von der Gesellschaft durch Restriktion kanalisiert werden
muß. Diese Einengung ist in unterschiedlicher Ausprägung allen gesellschaftlichen Systemen eigen. Der Trieb muß auf ein einzelnes Wesen
konzentriert werden, dies geschieht vermittelt durch die Liebe, die auf
Grund dieser Kanalisierung eine ungeheure Wirkung entfaltet. Liebe ist
für Anders eine Kulturerscheinung, da erst durch den Umweg über die
Tabuverletzung Liebesgeschichten entstehen.

Bei seinen amerikanischen Studenten stieß Anders mit diesen Thesen
auf Unverständnis und Empörung, was nicht verwundert, wenn man wie
er das nachpuritanische Amerika einer Untersuchung unterzieht: Jugendliche pochten im Protest gegen ihre Eltern auf einen freien Umgang
mit der Sexualität, und die Psychoanalyse gewann zunehmend an Bedeutung in der amerikanischen Gesellschaft. Umwege sollten vermieden
werden, Wegverkürzung war in jedem gesellschaftlichen Bereich und bei
jeder Tätigkeit der wichtigste Faktor, der damit dem Ziel seine Bedeu-

tung nahm. Mit diesem Pragmatismus erklärt Anders die rasche Verbreitung der Psychoanalyse: *...beide, Pragmatismus wie Analyse, kämpfen gegen ‹Hemmungen›. Hemmungen sind Verzögerungen; Verzögerungen Zeitverluste; Zeitverluste Geldverluste ... kurz: die Analyse-Mode ist, mindestens auch, eine sich modern gebende Welle auf einem ziemlich alten Wasser. Das Produktionstempo soll gesteigert werden.*[62] Hier auf eine Verwandtschaft zwischen dem alten Puritanismus und der angeblichen sexuellen Befreiung zu schließen liegt nahe; bei beiden ist die Sexualität Mittel zum Zweck. In einer Gesellschaft, in der Bewegung alles ist, der Aufenthalt oder das Ziel unwichtig werden, ist das Glück ein überflüssiger Artikel, und die Ausübung von Sexualität wird zu einer Frage der Gesundheit. Verbunden mit Glück oder Lust wird sie jedoch zur *Unterbrechung der Bewegung*[63]. Aus einem Gespräch mit amerikanischen Studenten am 15. März 1949: *«Ihr seid stolz, im Schweiße eures Angesichts zu lernen, direkt durchs Fenster auf die Straße des Triebs zu gelangen. Morgen werdet Ihr ins Konzert gehen, um den Schlußakkord zu hören ... die Durchführung der Symphonie wird Euch als Verhinderung und als Umweg zuwider sein. Was sage ich, ‹Ihr werdet›? Ihr tut es bereits. Denn was Ihr im Radio hört, sind bereits die abgerahmten Hauptthemen und die geköpften Apotheosen Alles andere habt Ihr bereits ‹verdrängt›. Wenn Ihr es Euch angewöhnt, direkt durchs Fenster auf die Straße des Triebs zu gelangen, versäumt Ihr am Ende nicht nur den Umweg, den das Treppenhaus der Kultur darstellt, sondern eben auch Kultur selbst...» – «Und der langen Rede kurzer Sinn?» fragte eine... «Daß Ihr Euch auf der langen Rede kurzen Sinn beschränken wollt», antwortete ich.*[64]

Die Welt als Phantom und Matrize

Der Aufenthalt in den technologisch wesentlich weiter entwickelten USA hat Günther Anders' Philosophie entscheidend beeinflußt. Ausdruck des «Kulturschocks» und der damit verbundenen Hilflosigkeit unter den europäischen Emigranten ist der utopische Roman «Brave New World» von Aldous Huxley, in welchem der Außenstehende – Besucher aus einer fremden Welt – mit den Produkten und Sozialstrukturen eines Zukunftslandes konfrontiert wird: den Medien, der Massenkultur, verordneter Zerstreuung und der Omnipotenz und -präsenz der Produkte; Phänomene, die in Europa noch nicht ausgebildet oder gänzlich unbekannt waren. Auch Adorno hat «Brave New World» in seinem Aufsatz «Aldous Huxley und die Utopie» als künstlerische Umsetzung der panischen Reaktion der intellektuellen Immigranten in Amerika interpretiert: «Huxley ... macht dem Kinderglauben, daß angebliche Auswüchse der technischen Zivilisation im unaufhaltsamen Fortschritt von selbst ausgeglichen würden, keine Zugeständnisse und verschmäht den Zuspruch, nach dem Exilierte so gern greifen: daß die beängstigenden Aspekte der amerikanischen Kultur ephemere Reste ihrer Primitivität oder kraftvolle Bürgen ihrer Jugend seien. Kein Zweifel daran wird geduldet, daß jene nicht sowohl hinter dem großen Zug der europäischen zurückblieb als vielmehr dieser vorauseilte; daß die Alte Welt es beflissen der Neuen nachtut.»[65]

Günther Anders hat diese historisch einmalige Situation als erkenntnistheoretische Chance begriffen, aus der er die Grundpfeiler seiner Philosophie entwickelte, die, wie sich zeigen wird, im strengen Sinne nicht mehr so genannt werden kann und darf. Denn sie überschreitet die Grenzen der Kommentierung, geht über den Versuch hinaus, die Welt und die Stellung des Menschen in ihr zu erklären, will in Ereignisse eingreifen und zum Handeln anregen, was sich auch in Anders' veränderter Diktion ausdrückt, denn er lehnt die *Esoterik der philosophischen Sprache* ab, das wäre, eine seiner häufig gebrauchten Sottisen, *als wenn Bäcker nur für Bäcker büken*[66]. Gabriele Althaus hat sein methodisches Vorgehen mit einer «umgedrehten Allegorie» verglichen, die den Bogen von der Alltagswahrnehmung zur erkenntnistheoretischen Ebene spannt und sich einer klaren und reflektierten Sprache bedient.[67]

Tagebuchnotiz vom 11. März 1942: *Glaube heute vormittag einem neuen Pudendum auf die Spur gekommen zu sein; einem Scham-Motiv, das es in der Vergangenheit nicht gegeben hat. Ich nenne es vorerst für mich «P r o m e t h e i s c h e S c h a m»; und verstehe darunter die «S c h a m v o r d e r ‹b e s c h ä m e n d› h o h e n Q u a l i t ä t d e r s e l b s t g e - m a c h t e n D i n g e».*

Schloß mich mit T. einer Führung durch eine hier eröffnete technische Ausstellung an. T. benahm sich aufs eigentümlichste; so eigentümlich, daß ich schließlich nur noch ihn beobachtete statt der Apparate. Sobald nämlich eines der hochkomplizierten Stücke zu arbeiten begann, senkte er seine Augen und verstummte. – Noch auffälliger, daß er seine Hände hinter seinem Rücken verbarg, so als ob er sich schämte, diese seine schweren, plumpen und obsoleten Geräte in die hohe Gesellschaft der... Apparate gebracht zu haben... T. s c h ä m t s i c h, g e w o r - d e n, s t a t t g e m a c h t z u s e i n, der Tatsache also, im Unterschied zu den tadellosen und bis ins letzte durchkalkulierten Produkten, sein Dasein dem blinden und unkalkulierten, dem höchst altertümlichen Prozeß der Zeugung und der Geburt zu verdanken.[69]

Mit dieser Aufzeichnung beginnt der erste Band der *Antiquiertheit des Menschen*, eine Beschreibung seiner Unfähigkeit, der von ihm geschaffenen *Produktewelt* gewachsen zu sein. Hier vollzieht sich der Bruch mit der traditionellen Philosophie. Erkenntnistheoretische Prämisse ist nicht mehr das bewußte Ich im Rahmen einer vorgedachten systematischen Auffassung von Geist, der die Dingwelt einschließt, sondern die Technik selbst wird zum Subjekt. Der Mensch kann nur noch antizipieren, und selbst zu dieser Leistung ist er nur noch bedingt fähig. Die Resultate seines «Handelns», schon bei dieser Vokabel ist Skepsis angebracht, denn für Anders besteht Arbeit nur noch aus einer Kette von «Auslöseeffekten», vermag er sich nicht mehr vorzustellen. Die Diskrepanz vergrößert sich mit jeder technologischen Neuerung. Auf die Frage nach einer Etikettierung seiner Schriften hat Anders seine Überlegungen einmal als *Diskrepanzphilosophie* bezeichnet, im Gegensatz zur *Identitätsphilosophie* von Schelling.

Der in den Alltagsjargon eingegangenen Klage, nach der wir in einer materialistischen Welt leben, hält Anders den Umschlag von der Praxis zur Idee entgegen; letzterer kommt nun eine eminent wichtige Bedeutung zu. Wir befinden uns im *Zweiten platonischen Zeitalter*, denn... in *der Epoche der Massenindustrie kommt dem einzelnen Objekt tatsächlich ein geringerer Seinsgrad zu als seiner «Idee»: nämlich seinem blueprint ... Nicht dadurch sind wir 1945 in das atomare Zeitalter eingetreten, daß wir drei Atombomben hergestellt hatten, sondern dadurch, daß wir das nicht-physische Rezept für zahllose andere besaßen ... Im Vergleich zu den wenigen Ideen in Platos Himmel ist die Zahl unserer heutigen Ideen unendlich, und unendlich wachsend: durch die Inflation der Erfindungen... wächst die Zahl der Ideen täglich in Richtung «unendlich». Wenn wir früher oder später (vermutlich früher) zugrundegehen werden, dann als Opfer des Zweiten Platonismus.*[69] Da Ideen nicht revozierbar sind, bezeichnet sich Anders als «ontologisch konservativ», denn im Moment gehe es nicht um eine Veränderung der Welt, sondern um eine Neuinterpretation und Stabilisierung.

Neben anderen Kulturerscheinungen des Amerika der dreißiger und vierziger Jahre wie der Macht der Autos, die den Fußgänger zu einer belächelten und antiquierten Erscheinung macht, der Schablonisierung des Menschen, der immer verzweifelter versucht, seinen Produkten zu ähneln, ist das Fernsehen für den Gast aus Europa ein völlig neues Phänomen. In seinen Untersuchungen zu Rundfunk und Fernsehen, *Die Welt als Phantom und Matrize*, werden beunruhigende Dimensionen vor uns

Die amerikanische Fernsehfamilie in den späten vierziger Jahren

ausgebreitet. Auch hier war Anders seiner Zeit voraus, ein Zu-früh-Kommender, denn die Omnipräsenz des Fernsehens sollte sich in Europa erst Jahre später durchsetzen. Im Jahre 1991 waren wir Zeugen eines Medienspektakels, das sich «Golfkrieg» nannte, und ein weiterer Beleg dafür ist, daß Günther Anders' vor 40 Jahren geschriebene Thesen nichts von ihrer Aktualität eingebüßt haben.

Ausgangspunkt seiner Überlegungen ist der Zusammenhang von «Arbeit» und «Freizeit», bzw. der nahtlose Übergang von einer zur anderen: *Von Menschen, die durch ihre Alltagsarbeit in die Enge spezialisiertester, sie selbst wenig angehender Beschäftigung hineingepreßt, andererseits der Langeweile ausgesetzt sind, von solchen Wesen kann man nicht erwarten, daß sie in dem Augenblick, da Druck und Langeweile aussetzen ... zu sich selbst ... zurückfinden könnten oder wollten ... Da vielmehr das Ende des verengenden Druckes einer Explosion gleicht ... stürzen sie, sofern sie nicht einfach erschöpft sind, auf tausend Fremdes, gleich auf welches; auf all das, was nach der Windstille der Langeweile die Zeit wieder in Gang bringt und in ein anderes Tempo zu versetzen geeignet ist: auf rapid wechselnde Szenen.*[70] Indem die Arbeit zur Freizeit und die «Freizeit» zur betriebsamen Ausfüllung der Stunden wird, vermag der Mensch seine zerstreuten Sinne nur noch an der Oberfläche der Dinge festzumachen. Fernsehen und Rundfunk greifen genau an diesem Punkt ein, weil sie die «ins Haus gelieferte Welt» mit Schnelligkeit und Dichte der wechselnden Bilder und Worte aufbereitet haben, so daß die Erregung der Sinne auf der ersten Wahrnehmungsstufe – dem Hören und Sehen – stagniert. Bilder und Worte dringen nicht mehr ins Bewußtsein, sondern halten lediglich die Sinnesapparate in Bewegung. Hinzu kommt eine scheinbare Paradoxie: Obwohl diese Art der Zerstreuung von den Massenmedien produziert wird, findet sie isoliert statt. Der Fernsehzuschauer ist in seine Privatheit verbannt und wird zum «Masseneremiten».

Der Augenblick wird für das Fernseh- und Rundfunkpublikum zum bestimmenden Zeitmaß. Anders unterscheidet zwischen zwei Größen: der konkreten Gegenwart, *in der sich Mensch und Mensch oder Mensch und Welt in tatsächlicher Tuchfühlung befinden*[71], und der bloß formalen Simultaneität, *also die Tatsache, daß Mensch und jedes beliebige Ereignis auf der Nadelspitze desselben Jetztpunktes stehend, den Weltaugenblick teilen*[72]. Zerstreuung findet statt, wenn der Mensch gleichzeitig in der konkreten Gegenwart seines Feierabends, seiner Wohnung, vor dem Fernseher, im Kreise seiner Familie als Zuschauer einer Live-Sendung anwesend ist. Wenn Anders' Thesen darauf zielen, daß die Grenzen zwischen beiden Gegenwartsformen verwischen, so läßt sich aus dieser Feststellung die Aufhebung des Gegensatzes zwischen Sein und Schein ableiten. Die Welt wird zum «Phantom».

Das ideale
Fernsehzimmer,
eingerichtet
vom New Yorker
Kaufhaus
«Bloomingdale's»,
1949

Angesichts der gesendeten Phantome scheint es möglich, die eigene
Raumstelle um die *Vielzahl der Weltstellen*[73] zu bereichern. Damit ist
keineswegs ein Nacheinander in der Besetzung der Positionen, im im-
perialistischen oder chronologischen Sinne, gemeint, sondern eine räumliche Gleichzeitigkeit, die dem Zuschauer den Aufenthalt in zwei Welten
ermöglicht, ohne daß er sich von seinem Platz fortbewegen muß. *Statt,
daß wir selbst Wege zurücklegen, wird nun die Welt für uns «zurückgelegt»
(im Sinne der reservierten Ware); und statt daß wir zu den Ereignissen hin-
fahren, werden diese nun vor uns aufgefahren.*[74] Der Mensch wird zum
Unerfahrenen. Günther Anders nennt einen solcher Art charakterisier-
ten Menschen den *Jetztgenossen*, als Gegenbild zum Ideal des Zeitgenossen, jenem Weltenbürger, der sich verantwortungsvoll der Welt
gegenüber verhält und in ihr zu Hause ist. Dem Typus eines Zeitgenossen
eignet eine Voraussetzung, die ihn als allgemein menschliches und moralisch verbindliches Ideal erst konstituiert: Er ist tatsächlich Subjekt

seiner Lebensgestaltung. Dem von Anders beschriebenen *Jetztgenossen* fehlt eine solche Identität, die ja einer vollkommenen Zerstreuung Widerstände entgegensetzen könnte, sie wird vielmehr als desorganisierte mit pathologischen Zügen beschrieben. *Der Mann im Sonnenbad etwa, der seinen Rücken bräunen läßt, während seine Augen durch eine Illustrierte schwimmen, seine Ohren am Sportsmatch teilnehmen, seine Kiefer einen gum kauen – diese Figur des p a s s i v e n S i l m u l t a n s p i e - l e r s u n d v i e l t ä t i g e n N i c h t s t u e r s ist eine internationale Alltagserscheinung.*[75] Bei diesen simultanen «Tätigkeiten» wird nicht nur der ganze Sinnesapparat in Erregung gehalten, sondern jedes Organ einzeln besetzt. *Und «Besetztsein» ist als Beschreibung des Zustandes ungleich treffender als «Beschäftigtsein».*[76]

Wenn als Prämisse das Bedürfnis nach Zerstreuung des Menschen, der aufgespalten in Teilfunktionen nur noch Halt statt Inhalt sucht, gesetzt ist, so muß die dargebotene Welt als Produkt erscheinen, das sich rasch selbst verbraucht. Zu diesem Zweck muß die vom Fernsehen gelieferte Welt *verbiedern. Verbiederung* bezeichnet nach Anders den Vorgang, der die entfremdete Welt zu einer scheinbar vertrauten macht. Das Personal der zahlreichen Fernsehserien ist dem Zuschauer näher als die in seiner unmittelbaren Umgebung lebenden Menschen. Obwohl die Fernsehhelden nicht real existieren, also Phantome sind, entwickelt der Konsument ein familiäres Verhältnis zu ihnen. So entstehen Pseudofamilisierungen und -freundschaften, die der einzelne mit Millionen teilt, obwohl er sie singulär erlebt. *Das Gelieferte ist also d i s t a n z l o s g e m a c h t, wir ihm gegenüber gleichfalls, die Kluft ist abgeschafft.*[77]

Die *Verbiederung* vollzieht sich im Wechselspiel von Zuschauer und Sendung. Als historische Quellen nennt Anders die *Demokratisierung des Universums*, den Warencharakter aller Erscheinungen und die Entfremdung.

Der Warencharakter aller Erscheinungen ist – obwohl er scheinbar nur entfremdet – eine Wurzel der *Verbiederung*. Jede Ware, die gekauft werden will, muß auf «Bedürfnis» und Lebensstil ausgerichtet sein; je geringer der Widerstand gegen ihre Verwendung, desto höher die Qualität und die Verkaufschance: Kein oder nur geringer Widerstand bedeutet *Verbiederung*. Auch die ins Haus gelieferte Welt muß auf Verwertbarkeit zugeschnitten sein, sie wird mundgerecht zubereitet, damit sie den Zuschauer anspricht, das heißt, sie tritt als Ware in verbiederter Form auf. Die Hauptfunktion der *Verbiederung* besteht in der Verschleierung der Tatsache, daß der Mensch in einer entfremdeten Welt lebt. Der Prozeß der allmählichen Aneignung der Welt durch den Fernsehkonsumenten vollzieht sich in zeitlichen und räumlichen Dimensionen. Selbst die entferntesten Regionen werden mittels der Geräte durch die Synchronität von

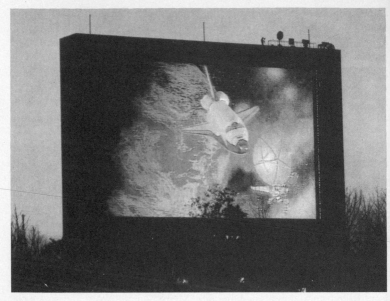

Das gigantische Fernsehbild als Bestandteil des öffentlichen Raums: «Jumbo Tron» von Sony mit einer Diagonale von 47 m auf der naturwissenschaftlichen Ausstellung in Tsukuba, 1985

Ereignis und Abbildung in der Live-Übertragung zum riesigen Zuhause des Menschen. Die gelieferten «Bilder» zeigen Gegenwärtiges auf, denn sie erscheinen und verschwinden mit dem Ereignis, sind also reine Gegenwart, aber nicht in dem Sinne, daß der Zuschauer sich in tatsächlicher Nähe zu ihnen befindet, sondern einen *Weltaugenblick* mit all seinen Ereignissen wahrnimmt. Daß die meisten Weltereignisse auf Grund der internationalen Arbeitsteilung auch uns betreffen und daß wir um sie wissen müssen, ist unbestritten. Diesem Informationsbedürfnis kommen Radio und Fernsehen jedoch nicht nach, denn *je mehr anwesend gemacht wird, desto weniger anwesend wird es gemacht*[78]. Was die Geräte leisten, ist die Vermischung zwischen Ereignis und dem «Bild», das uns von ihm vermittelt wird.

Diese Überlegungen haben auch Konsequenzen für die Philosophie. Das wesentliche Element der idealistischen Weltanschauung ist die Vorstellung, daß Mensch und Welt als Gegenpole existieren, der Mensch also außerhalb der Welt steht und entsprechend über sie verfügen, sie besitzen, zumindest sie getrennt von sich wahrnehmen kann. Die Welt stellt demnach ein «Possessivum» dar. Anders überträgt die Idee des Idealismus auf den Rundfunk- und Fernsehkonsumenten. Denn in dessen Augen ist die Welt etwas nur für ihn Existierendes und Aufbereitetes. Die Übertragung der Philosophie auf Alltagsphänomene überrascht zunächst, weil das Verfügen über Welt bisher spekulativ geäußert wurde, als Wunschbild oder als Imperativ in der Genesis, und weil sie hier eine *Situation bezeichnet, in der die Metamorphose der Welt in etwas, worüber ich verfüge, wirklich technisch durchgeführt ist*[79]. Der bisherige Idealismusbegriff geht außerdem von einer bewußten Aneignung der Welt aus, wogegen sich ihre Aneignung durch die Geräte passiv vollzieht. Und noch darüber hinaus: die Welt, die in den Besitz des Fernsehkonsumenten eingeht, ist eine Schablone, die nicht mehr die wirkliche Welt darstellt, sondern nur noch ein Bild von ihr liefert.

Die Prägung der ins Haus gelieferten Welt ist in ihrer Form nicht gewalttätig, sondern orientiert sich an den Wünschen der Empfänger. Deshalb ist die Prägung der Bedürfnisse nicht weniger wichtig als die Prägung der Produkte (Sendungen). Um eine Aufhebung der Differenz zwischen Angebot und Nachfrage zu erreichen, wird als Mittel die Moral eingeschaltet, die ebenfalls vorgeprägt sein muß, um wirksam zu werden. Sie äußert sich in negativer Abgrenzung: Wer das Angebotene verweigert, ist unmoralisch. Und weil das Idealprodukt sich durch schnellen Verbrauch auszeichnet, weckt es das Bedürfnis nach Ersatz. Das Produkt schafft also das Bedürfnis nach sich selbst, und dieser Aufforderungscharakter der Ware ist ihr wichtigstes Merkmal: eine diktatorische Aufforderung, der man sich nicht entziehen kann. Wir sind umgeben von einem Warenuniversum, in dem sich jedes Produkt auf das andere bezieht oder dessen Ergänzung bedarf. Anders nennt diesen Vorgang das *Matrizenphänomen. Denn unsere Bedürfnisse sind nun nichts anderes mehr als die Abdrücke oder die Reproduktionen der Bedürfnisse der Waren selbst.*[80]

Weil auch die Nachricht zur Ware geworden ist, liegt es nahe, sie wie andere Produkte nach ihrer Verwertbarkeit zu untersuchen. Die Nachricht hat die Funktion, den Benachrichtigten über etwas Abwesendes – Person oder Sache – zu informieren. Dem Adressaten wird nicht der Gegenstand selbst vermittelt, sondern nur eine Information über ihn. Der Empfänger hat zwar nicht die Chance, Person oder Sache unmittelbar zu erfahren, ein Teil davon wird ihm aber trotzdem erfahrbar gemacht. Während der Gegenstand innerhalb der Nachricht ein fester Bestandteil ist, erweist sich die Information über ihn als transportierbar und versetzt den Adressaten in die Lage, auf einer Meta-Ebene über sie zu verfügen. Die Nachricht zerfällt demnach in zwei Teile: In den Gegenstand selbst (Subjekt) und in die Ereignisse (Prädikat), die ihn betreffen.

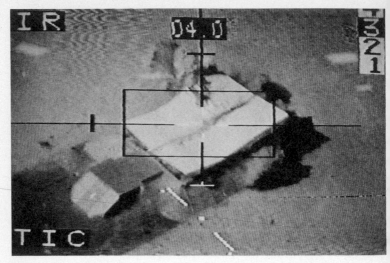

Krieg als Fernsehereignis: Irakischer Bunker im Visier eines Kampfflugzeugs, aufgenommen von einer Videokamera, 2. Februar 1991

Aus dieser Teilung entsteht der Akt des *Ur-Teilens*. Wer über Abwesendes verfügt, macht sich unabhängig von Ort und Zeit. Diese Freiheit ist eine scheinbare, da die Nachricht nur einen Teil des Gegenstands enthält und nicht den Gegenstand selbst. Sie ist für den Adressaten präpariert, das heißt, sie wird so aufbereitet, daß sie ihn unmittelbar betreffen könnte, wodurch die Nachricht zum Vorurteil wird, ein Begriff, den Anders im wörtlichen und nicht-pejorativen Sinne verwendet.

Bestimmend für die Nachricht ist, daß sich das Ereignis immer vor ihr vollzieht. Die gesendete Nachricht versucht, diese Reihenfolge aufzuheben. Das Ereignis richtet sich nach dem *Vor-Urteil*, beispielsweise wenn sich Personen im Fernsehen ihrer gewünschten Wirkung gemäß darstellen. Folglich tritt ein Neutralisierungseffekt ein, in dem die Transportierbarkeit der Fakten durch die Transportierbarkeit der Gegenstände selbst ersetzt wird, die die Sendung scheinbar selbst ins Haus liefert. Anders bezeichnet diesen Vorgang als *Verbrämung des Urteils: Um dem Konsumenten einzureden, daß ihm nichts eingeredet wird, verzichtet das in ein Bild verwandelte Urteil auf seine Urteilsform.*[81] Wenn man vom Warencharakter der Sendung ausgeht, der einschließt, daß der Rohstoff, aus dem die Ware hergestellt wird – also die Welt, das Ereignis –, bearbeitet werden muß, so wird sie der allgemeinen Tendenz in der Warenproduktion entsprechen, möglichst früh in den Wachstumsprozeß des Rohstoffs einzugreifen. Auf diese Weise vollzieht sich die Transformation von Ereignis in Sendung. Die Tendenz, daß ein Ereignis auf Grund seiner mediengerechten Verwertbarkeit stattfindet, ist überall zu beobachten. Anders nennt Fußballspiele, Gerichtsverhandlungen, Reden von Politikern und Demonstrationen.

Aus seinen Untersuchungen ergeben sich weitreichende Konsequenzen:

Der Widerstand, durch den das Verhältnis zwischen Mensch und Welt bisher bestimmt war, löst sich durch den Neutralisierungsprozeß von Raum und Zeit auf. Es bleibt von der Welt kein Rest mehr, der sich nicht integrieren ließe; sie ist zum Genußmittel und «Schlaraffenland» geworden.

Die Ideologie wird überflüssig, da wir ihrer nicht mehr bedürfen. Die aufbereitete unwahre Welt ist zur unwahr arrangierten Aussage über sie geworden.

Nicht nur die Welt ist matrizenhaft, sondern auch der Mensch. *Das Hin und Her zwischen Mensch und Welt vollzieht sich .. als ein zwischen zwei Prägungen sich abspielendes Geschehen.*[82]

1979 hat Günther Anders in einem Vorwort zur Neuauflage der *Antiquiertheit des Menschen I* eingeräumt, daß die vermittelte Welt des Fernsehens in bestimmten historischen Situationen zu aktivem Handeln anregen kann. *Wahrgenommene Bilder sind zwar schlechter als wahrgenommene Realität, aber sie sind doch besser als nichts. Die täglich in die amerikanischen Heime kanalisierten Bilder vom vietnamesischen Kriegsschauplatz haben Millionen von Bürgern die in die Mattscheibe starrenden Augen erst wirklich «geöffnet» und einen Protest ausgelöst, der sehr erheblich beigetragen hat zum Abbruch des damaligen Genozids.*[83]

Rückkehr

Erinnern und Vergessen

Günther Anders verließ 1950 die USA, als sich die Hexenjagd des Untersuchungsausschusses über unamerikanische Umtriebe unter Senator Joseph R. McCarthy ankündigte, von der besonders die europäischen Emigranten betroffen waren. Da ihm weder das westdeutsche Gesellschaftsmodell unter Konrad Adenauer zusagte noch der Realsozialismus im Osten, verlegte er seinen Wohnsitz nach Wien. Ein von Ernst Bloch vorgeschlagenes Ordinariat an der Universität Halle lehnte er ab, weil sich seine Philosophie nach eigener Aussage gegen den gängigen Universitätsbetrieb sperrte. Inzwischen hatte Anders die Theaterwissenschaftlerin Elisabeth Freundlich geheiratet, mit der er zahlreiche Theaterstücke aus dem Englischen übersetzte. In den ersten Jahren verdiente er seinen Lebensunterhalt als freier Rundfunkautor, denn der Rundfunk war eine der wenigen Institutionen, die den zurückgekehrten Emigranten Arbeit anbot. *Da wäre ich also ‹zurückgekehrt›. – Aber als sei ich unfähig, mich sofort von der Vertrautheit des Fremdseins, von den Gewohnheiten des langjährigen Exil-Lebens zu trennen, bin ich in ein Land zurückgekommen, in dem ich niemals zuvor gelebt habe.*[84]

Zahlreiche Tagebuchaufzeichnungen – reflektierte Alltagswahrnehmungen in einer Großstadt während der ersten Jahre nach Beendigung des Kriegs – geben Aufschluß darüber, daß diejenigen, die gezwungen waren, sich ab 1933 in der Fremde einzurichten, und nun zurückkehrten, keineswegs willkommen waren. Niemand hatte sie gerufen, denn sie erinnerten an eine Vergangenheit, die man schnell und gründlich vergessen wollte. Lediglich die DDR nahm sich der Emigranten an und versuchte, ihnen beim Aufbau einer Existenz als Akt der «Wiedergutmachung» behilflich zu sein. Häufig traf die Exilanten der Vorwurf, daß ihnen

Elisabeth Freundlich und Günther Anders auf dem Internationalen Symposium zur Erforschung des österreichischen Exils von 1935 bis 1945, 3.–6. Juni 1975

durch ihre Flucht die Schrecken des Kriegs erspart geblieben seien, während die Bevölkerung Deutschlands und Österreichs dem Bombenhagel ausgeliefert war. Zudem erinnerte ihre Anwesenheit an die eigene Mittäterschaft. Gespräche mit den Einwohnern Wiens bewegten sich mit traumwandlerischer Sicherheit auf das eine Ziel hin: die Schmach des österreichischen Volkes, die Bombardierung der Städte, die langen Nächte in den Luftschutzkellern und die entbehrungsreiche Nachkriegszeit – Geschehnisse, die wie Naturereignisse ins Bewußtsein aufgenommen worden waren. Fragen nach dem «Warum» blieben ausgespart, und es schien, als hätten die verschwundenen jüdischen Bürger Wiens für die Bevölkerung nie existiert.

Die erste Begegnung mit der deutschen Sprache hatte Anders auf einer Reise von Paris – unterbrochen von einem kurzen Aufenthalt in der

Schweiz – nach Wien. *Da spricht man also wieder deutsch. Der erste Eindruck: Überraschung... Aber der nächste Eindruck ‹Frechheit› – Warum? In den siebzehn Jahren der Abwesenheit war die deutsche Sprache für uns zum Privat-Idiom geworden: zur Schreibsprache und zum Idiom des intimsten Umgangs. Die Welt hatte sich (und wir im Verkehr mit ihr) einer anderen Sprache bedient...*[85] Befremdung löste auch das neue Vokabular aus: *Denn selbst hier haben sich durch die Engpässe Nazi-Ausdrücke eingeschmuggelt, Neologismen, die ich zwar seit Jahren gelesen... hatte, die mir aber als Splitter der arglosen Alltagssprache noch nie begegnet waren. In den Ohren der Heutigen wirkt unsere Sprache, die der Heimkehrer, wahrscheinlich altfränkisch... Siebzehn Jahre Sprachveränderung haben wir versäumt...*[86]

Den Schwierigkeiten bei der Wiederaneignung von Sprache, ein Problem vieler zurückgekehrter Exilanten, war auch Günther Anders zunächst hilflos ausgesetzt. *Ich fürchte, wir Exildichter haben unsere Muse durch unsere Rückkehr mundtot gemacht. ‹Abwesenheit› hatte sie geheißen, unsere Muse; und freundlich war sie gewiß nicht gewesen. Aber wenn wir gelernt haben, Dinge und Aufgaben aufs Genaueste heraufzubeschwören, so verdanken wir das ihr. Wenn wir dröhnen lernten, so weil sie, unsere Lehrmeisterin im Absurden, uns eindrillte, unsere Stimme zu erheben für Ohren, die wir niemals erreichen konnten.*[87] Ungeheuerlich und unangemessen erschien ihm die Vereinnahmung der jüdischen Sprache. Nachdem man die Juden ihres Besitzes und noch viel schlimmer: ihres Lebens beraubt hatte, bediente man sich im Nachkriegs-Wien ihrer Idiome, die Eingang in die Umgangssprache gefunden hatten. *Die gemeinste Arisierung war die des jüdischen Jargons... Wenn sie in der Zeit ihrer schlimmsten Wurschtigkeit gerade den jiddischen Jargon in ihre Sprache aufnahmen, so vor allem, weil sie ihn nur aus Witzblättern kannten, wo er den Inbegriff der ‹Und wenn schon›-Attitüde darstellte...*[88]

Die Hoffnung, offene Ohren zu finden, mußten die meisten Emigranten schnell begraben, denn die besseren, moralischen Menschen, auf die sie gesetzt hatten, existierten nicht. So blieb ihnen lediglich die selbstgestellte Aufgabe, als Chronisten gegen das Vergessen anzuschreiben, die lange Zeit ihrer Abwesenheit als verlorene Zeit abzubuchen und als Außenseiter den Blick für alte und neue Verlogenheiten nicht zu verlieren.

Günther Anders reagierte wie ein Seismograph auf die Gespräche mit den Einwohnern Wiens. Seine phänomenologischen Wahrnehmungen hat er in seinen Tagebüchern einer Analyse unterzogen, um die Ursache einer weitreichenden Verstörung aufzuspüren. Auch die eigene hat er festgehalten, denn die Exilanten mußten sich nun von ihrem Haß verabschieden, einem Gefühl, das sie während ihrer jahrelangen Abwesenheit begleitet hatte und das sie sich vor 1933 nicht hatten vorstellen können.

Wien, August 1956. Das Ende der Nachkriegszeit: Stalins Name wird entfernt

Wie hätten wir damals voraussehen können, daß bald... Haß unser tägli-
cher und nächtlicher Zustand sein würde?... Denn, da wir es uns gelobten,
das Unerhörte, das wir erlebt hatten: den Mord und die Erniedrigung, nie-
mals zu vergessen und als Warnung für die Nachwelt aufzubewahren, da
schloß dieses Gelöbnis auch unseren Haß mit ein: niemals zu vergessen,
daß man uns, die Hasser des Hassens, einmal dazu hätte zwingen können,
hassen zu müssen und vom Hasse zu leben.[89] Nach dem Zusammenbruch
ihres Haß-Objekts erkannten die Exilanten, daß der Nationalsozialismus
nicht an sich selbst zugrunde gegangen war, sondern an dem Sieg der Alliierten. *Da geriet unser Haß in Verlegenheit. Lange wartete er auf einen*
Nachfolger, darauf, abgelöst zu werden vom Jubel, oder von der Trauer,
oder von der Verzeihung, oder von der Hoffnung, oder von der Neugier
auf das Bessere, das nun kommen mußte, oder von der Freude über einen
wirklichen neuen Anfang. Aber unser Haß wartete vergebens.[90] Der Haß
der Exilanten konnte sich nur durch ihre Abwesenheit vom Geschehen in
Deutschland nähren. Den Beginn des Dritten Reiches hatten zwar fast
alle miterlebt, aber nicht mehr dessen Folgen, während für die Zurückge-
bliebenen der Sieg der NSDAP durch ihre Stimmen in einer Fülle von
anderen Ereignissen unterging, die die logische Folge von Ursache und
Wirkung löschten. Bei den Exilanten löste die Nachricht über den deutschen Zusammenbruch zwar Erleichterung aus, sie entzog sich aber einer
konkreten Erfahrung. *Solch bloßes Wissen ist aber erbärmlich schwach,*
viel schwächer als jede leibhaftige Erfahrung. Unmöglich für dieses ‹bloße
Wissen›, mit der leibhaftigen Erfahrung, daß wir noch immer Vertriebene
waren, in Wettstreit zu treten.[91]

So verwundert die Amnesie der Nachkriegsdeutschen und -österrei-
cher und das mangelnde Interesse für die Schriften aus dem Exil nicht,
mit denen die Zurückgekehrten konfrontiert waren. Mit der Bombardierung der Städte verschwand die Erinnerung an deren Ursache, denn die
Bomben trafen alle, ohne Unterschied der Person, ob sie nun schuldig
oder unschuldig war. Und es *gehörte schon eine geradezu unmenschliche*
und übernatürliche moralische Abstraktionskraft dazu, das tödlich Bedro-
hende n i c h t als Feind anzusehen, oder es gar als Bundesgenossen zu be-
grüßen... Möglich, daß dieser und jener im brennenden Berlin, Dresden
oder Köln noch wußte, w a r u m die Bomben fielen, und w e r sie ursprüng-
lich provoziert hatte; aber wie wirkungslos oder wie unwirklich bleibt doch
solch bloßes Wissen... Also geschah es, daß die Verbrecher vergessen wur-
den, gewissermaßen begraben unter den furchtbaren Konsequenzen ihrer
Verbrechen.[92]

Wann immer Günther Anders mit Wienern über die zerstörten Städte
in anderen europäischen Ländern sprach, leugneten sie entweder deren
Existenz oder beharrten in einem Akt der Schuldverschiebung auf dem

Standpunkt, daß die ehemaligen Feinde es nicht besser verdient hätten. In ihrer Argumentation tauschten sie – durchaus bewußt – die zeitliche Folge von «Früher» und «Später» aus. *Es war nicht zum ersten Male, daß mir solche Inversionsargumente begegnet sind. Im Zusammenhang mit dem Problem der sogenannten ‹Kollektivschuld› tritt sie hier regelmäßig auf.*

Ganz gleich, wie man zu diesem Problem steht (schon den Ausdruck halte ich für schief) – die Antwort, die man erhält, wenn das Problem auch nur am Horizont auftaucht, ist stets die gleiche: immer besteht sie in dem Hinweis auf die eigene Misere; so als wären die Untaten, die dieser Misere nicht nur zeitlich vorausgegangen sind, sondern diese letztlich auch erzeugt haben, durch diese erklärt und entschuldigt.[93] Der Krieg war für die Wiener ein *insulares Bild*, genau wie die sogenannte gute Zeit davor, als alle Arbeit hatten und auch im nachhinein nicht realisieren konnten, daß gerade die Vollbeschäftigung mit der Kriegsvorbereitung korrespondierte. Nach einem Gespräch mit seinem Schuster notierte Anders: *Dazu kommt ferner, daß ja seine damalige Tätigkeit und das Produkt seiner Tätigkeit an den Krieg in keiner Weise ‹erinnerte›: Sohlen machte er, und keine Bombenangriffe. Und schließlich, daß die Vollbeschäftigung, solange sie bestand, viel zu angenehm war, als daß er sie sich ständig als Kriegsvorbereitung klargemacht hätte. Das Verständnis ihres Sinns hätte ihren Genuß ja verdorben... Schon damals also war die Verbindung zwischen Faktum und Sinn für ihn zerschnitten.*[94]

Ein Problem vieler Zurückkehrer war der verwirrende Umstand, daß man im Alltag die Täter von den Opfern nicht unterscheiden konnte, was den Interessen der Bevölkerung entgegenkam: Nichts war so sehr gewünscht wie das Vergessen. *Keinen Augenblick darf man vergessen... der heutige Zustand verhöhnt den blutigen Ernst der vergangenen zwölf Jahre, er macht ihn ungültig und degradiert ihn zu einem Schauspiel; und das Schauspiel ist eben abgesetzt, weil ein anderes auf dem Spielplan steht.*[95] Häufig begegnete Anders dem Argument, daß man doch jetzt endlich einander verzeihen solle, wobei dieser Vorgang ja zwei schuldige Parteien voraussetzen würde, die es real aber nicht gab; ganz davon abgesehen, daß der Schuldige keine Anzeichen von Reue zeigte. Verzeihen mag es zwar in der privaten Sphäre geben, nach Anders aber nie in der kollektiven. *Keine Situation ist läppischer, als wenn eine Gruppe einer anderen, die ihr eigenes Unrecht abstreitet, die Vergebung anbietet... So wenig es ein kollektives Bereuen gibt, so wenig gibt es kollektives Vergeben... Nein, aus diesen Situationen, in denen sich Millionen durch Mittun mitschuldig gemacht haben, führen nur zwei Wege: Erziehung und Vergessen.*[96] Der zweite Weg ist, das kann man heute nach nunmehr 45 Jahren noch besser beurteilen als Anders 1950, konsequent beschritten worden. In Zeitungsartikeln wurde den Juden ihre Weigerung vorgeworfen, den Tätern zu vergeben, und Anders registrierte als sehr genauer Beobachter ein Phänomen, welches das Vergessen noch übertraf: Die wenigen übriggebliebenen Juden wurden wieder zum Sündenbock gestempelt, weil sie sich dem Gedächtnisverlust widersetzten. «Die Deutschen werden den Juden Auschwitz nicht verzeihen», lautete eine kluge Sottise.

Vielleicht aber, so spekuliert Anders in seinem Tagebuch, ist die Frage des Verzeihens auch obsolet, weil das Ausmaß der begangenen Untaten, *jede Phantasie übersteigt*[97]. Sechs Millionen vergaste Menschen kann die moralische Phantasie nicht mehr aufnehmen. *Was man aber nicht fassen kann, das kann man auch nicht verzeihen. Und zwar deshalb nicht, weil der Verzeihende die Tat... erst einmal aus den Händen des Täters empfangen, mindestens übernehmen muß... Verzeihung ist Identifizierung im Konjunktiv.*[98]

Nicht nur der potentielle Vergebende kann sich das Ausmaß der Tat nicht wirklich vorstellen, sondern auch der Täter selbst. Anders geht jedoch davon aus, daß ihm dieses Unvermögen entgegenkam. So provokativ es scheinen mag, bei einer Verhandlung der Schuldfrage ist es gleichgültig, ob jemand 30 oder 1000 Menschen auf dem Gewissen hat. *Eben weil die Schuld nicht zu steigen schien, hatte man einen Freibrief für die Akkumulation der Verbrechen... je größer die Zahl der Toten desto deutlicher verlor der Mord das Ansehen von Mord, er wurde zur ‹Arbeit›, die man höchstens deshalb scheute, weil es eben Arbeit, und sogar schmutzige Arbeit, war.*[99]

Einige wenige Beispiele der Solidarität mit den Verfolgten hat Anders in Wien jedoch gefunden. Er berichtet von einer kleinen Gruppe Jüdinnen, die während des Nationalsozialismus in einer Munitionsfabrik arbeiten mußten. Ihnen wurde während der Bombardierung der Zutritt zu den Luftschutzkellern untersagt. Die Weigerung der Belegschaft, ohne die Jüdinnen in den Keller zu gehen, führte dazu, daß das Zutrittsverbot aufgehoben wurde. *Der Fall ist deshalb so eindrucksvoll und so bewundernswert, weil es sich bei ihm ja nicht um einen Einzelnen handelt, der sich großartig benommen hätte, sondern um eine ganze Belegschaft... Die Berichte über derartige Vorkommnisse müßte man sammeln. Als Ehrenzeugnisse. Und als Gegenbeweis gegen jene, die das Nichtmitmachen für unter allen Umständen unmöglich erklären, und sich nach dieser Erklärung die Hände in Unschuld waschen.*[100] Auch für Hannah Arendt hätte diese Form der Verweigerung in größerem Ausmaß möglich sein können, ohne daß eine überragende Intelligenz und ein ausgeprägtes Unrechtsbewußtsein notwendig gewesen wäre.[101]

Ein weiteres Phänomen, auf das Anders bei seinen Gesprächen stieß, war die Tatsache, daß jeder von sich behauptete, kein Nazi gewesen zu sein. Er kam zu dem Ergebnis, daß es sich hier nicht um entlastende Lü-

gen handelte, sondern um die Realität, *daß sie ‹noch nicht einmal Nazis›
gewesen waren*[102]. Da sich ein ganzes Volk nun als Mitläufer herausstellte,
diese Mitläufer aber als Angestellte und Bürokraten, deren Antriebskraft in ihrer «Pflichterfüllung» bestand, letztendlich den NS-Staat getragen haben, nimmt eine Untersuchung dieses Sozialcharakters bei Anders
einen wichtigen Stellenwert ein. Er hat bei den Österreichern eine andere
Ausprägung als bei den Deutschen. *Geschichtlich gesehen, sind sie die
letzten Enkel der Metternichwelt: Immer weiter bestand ihre erste Bürgerpflicht in ‹Ruhe›; und ihre Tugend sahen sie noch immer im ständigen und
ständig beteuerten Nicht-Opponieren... wobei es ihnen vollkommen egal
war, w e m sie nicht opponierten... Also taten sie, da n i c h t s das beste Alibi
zu sein schien, grundsätzlich nichts. – Und dann geschah unter Hitler, das
nie Dagewesene:*
*Weil sie nichts getan hatten, erreichte sie nun ihr Schicksal; mindestens
einige von ihnen. Begreiflicherweise. Denn im nationalsozialistischen
Staate war das Nicht-Opponieren und Nichtstun nicht genug... Da sie noch
immer überzeugt davon waren, daß Loyalität grundsätzlich in Nichteinmischung bestand, begriffen sie nicht die Bestrafung ihrer Nichteinmischung... Aber was sie betonen ist ihre eigene grundsätzliche Unschuld
(gestern gehörtes Zitat: «dabei hatte ich doch gar nichts getan»)... während
der Antifaschist sowohl die Schuld des Feindes betont wie die eigene,
weil er zu wenig ‹getan› hat.*[103]

Auffällig war, daß in den Gesprächen der Name Hitler vermieden wurde, obwohl seine Politik das Leben der Bevölkerung bis in die Privatsphäre beeinflußt hatte. Hinter diesem «Vergessen» vermutet Anders etwas
anderes als Gedächtnisschwäche, denn das Kriegsende lag erst fünf Jahre
zurück. Indem man Hitler tabuisierte, machte man ihn zum Mythos und
leugnete die eigene Beteiligung. Über die gefallenen Soldaten wurde – im
Gegensatz zu den Opfern der Bombardierung – nicht gesprochen, selbst
wenn nahezu jede Familie mindestens ein Familienmitglied auf diese
Weise verloren hatte. Anscheinend schämte man sich, um jemanden zu
trauern oder ihn in der Erinnerung lebendig zu halten, der für eine Sache
gestorben war, die sich im Rückblick als «falsch» herausgestellt hatte. Die
Bombennächte waren in der Erinnerung präsent, weil man sie selbst erlebt hatte; der Sohn, der im fernen Rußland gefallen war, entzog sich der
Wahrnehmung, sein Sterben war unvorstellbar. Die Kriegskrüppel, die
das Straßenbild Wiens bestimmten, wurden nicht als Folge eines selbstverschuldeten Kriegs gesehen, eher hatte sie in den Augen der Bevölkerung ein Schicksal getroffen, dem sie sich nicht hatten entziehen können.
Auf diese Weise versperrte man sich auch einem der wenigen *augenscheinlichen* Erinnerungsmomente.

Am deutlichsten blieb für die Einwohner Wiens der Verlust von Sachen im Gedächtnis, des durch die Bombardierung verlorengegangenen Eigentums. *Ist ein Ding zerstört, dann entsteht eine Lücke, und mit dieser ein Bedürfnis, das genau so bestimmt und scharf abgegrenzt ist wie die Leistung des verlorenen Dinges; und das genau so lange währt, als dieses Bedürfnis nicht gestillt ist. Ohne Mantel friere ich... Wie paradox es auch klingen mag: Gerade weil der Mensch, sein ‹Wert› und seine Funktion, einmalig und imponderabil ist, bleibt sein Verlust unbestimmt. Das Bedürfnis nach dem Verlorenen undefinierbar.*[104] Auf den Tod eines Menschen ist man mehr oder weniger vorbereitet, auch weil der Tod in einem Sittenkodex aufgefangen wird; nicht aber darauf, daß ein Haus verschwindet. So konnte Anders beobachten, daß sich der Verlust eines Besitzes traumatischer auswirkt als der Tod eines Mitmenschen. Die Zerstörung des Eigentums ist zudem ständig präsent und mit Prestigeverlust verbunden. *Fundamentalform der Erinnerung ist Vermissen: Man erinnert sich daher am besten an das, was man durch die Ständigkeit des Nichtdaseins ständig vermißt: also des Eigentums.*[105]

Günther Anders' Tagebuchaufzeichnungen umkreisen immer wieder das Phänomen des Erinnerns, das sich aus verschiedenen Bausteinen zusammensetzt. Verwundert über die im Partiellen verharrende Erinnerung, arbeitet sich Anders zu deren Ursprüngen zurück. Was wäre, wenn die Wurzel der Erinnerung schon in der Wahrnehmung läge? Nach Anders gibt es in einem alltäglichen Leben immer nur eine Wahrnehmung, die sich auf eine vorangegangene oder nachfolgende bezieht. *Hier aber, in den Augenblicken äußerster Unsicherheit, in den Katastrophen-Situationen, verkümmerte das Wahrnehmen zu der abnormen Form der punktuellen Einzelwahrnehmung. Jede bleibt folgenlos, jede eine Momentaufnahme, die im Augenblick ihres Aufleuchtens schon wieder zu verblassen hatte, damit die Platte für die Beleuchtung des nächsten Bildes frei bliebe. Die Wahrnehmung nahm also eigentlich nicht mehr ‹auf›, wenn man unter ‹Aufnehmen› eine Art von ‹Halten› versteht; sie wurde auch nicht mehr zum ‹Eindruck›, wenn man unter ‹Eindruck› etwas versteht, was sich ‹einprägt›, also bleibt... Die Erinnerungsverkümmerung gründet also bereits in einer Verkümmerung des Wahrnehmens.*[106]

Nachdem Anders die Phänomene von Erinnern und Vergessen registriert hatte und die Frage nach dem «Warum» nur bruchstückhaft beantworten konnte, beschloß er, sich selbst als Bestandteil dieses Kontextes zu sehen, in seiner Rolle als zurückgekehrter Exilant, dessen zentrale Aufgabe darin besteht, gegen den Gedächtnisverlust anzukämpfen.

Die Atombombe

Wer an eine terra inkognita verschlagen wird, der kann nicht sogleich mit deren Vermessung oder karthographischen Aufzeichnung beginnen. Erst einmal wird er sich dem Zufall überlassen... sich herumtreiben müssen. Zunächst wird er auf dasjenige lossteuern, was ihm zuerst ins Auge fällt: auf einen Baum etwa oder auf einen Gipfel. Aber daß er sein Ziel auf kürzestem Wege erreiche, ist äußerst unwahrscheinlich; vielmehr wird er sich auf seinem weglosen Wege verlaufen; hier nicht weiterkommen, gezwungen sein, seine Richtung zu wechseln; und dort sogar umkehren müssen; und wenn er sein Ziel dabei nicht vergißt, aus dem Augen verlieren wird er es sicherlich... Als philosophisches Terrain ist die Bombe – oder richtiger: unser Dasein unter dem Zeichen der Bombe, denn dies ist unser Thema – ein völlig unbekanntes Gelände... Erst also werden wir uns einmal herumtreiben lassen und uns damit zufriedengeben müssen, in die Augen stechende Einzelheiten zu beobachten und zu markieren. Deren Reihenfolge wird zunächst zufällig bleiben, deren Zusammenhang noch dunkel. Aber im Verlauf dieses Ganges wird sich dessen Natur verändern. Da sich manches zeigen wird, dies und jenes vielleicht schon von mehreren Seiten, anderes vielleicht im vorläufigen Zusammenhange, wird, ohne daß sich der Augenblick, in dem der Gang nun wegartiger oder gar methodischer würde, genau angeben ließe, das Terrain an Profil gewinnen. Freilich nur «gewinnen», denn denjenigen Aussichts-Punkt erreicht zu haben, von dem aus eine gültige karthographische Aufnahme durchführbar wäre, beanspruche ich nicht.[107]

Mit diesen einleitenden Sätzen des Textes *Über die Bombe und die Wurzeln der Apokalypseblindheit* reagierte Günther Anders, fünf Jahre nach Abwurf der ersten Atombombe auf Hiroshima am 6. August 1945, auf den Schock, der ihn sprachlos gemacht hatte, weil sein *Vorstellen*, sein *Denken*, sein Mund und seine Haut *vor der Ungeheuerlichkeit der Ereignisse streikte*, wie er in einem Interview seine psychische Verfassung beschrieb.[108]

Der Stadtkern Hiroshimas kurz nach der Explosion der ersten Atombombe
am 6. August 1945

*Ich begriff sofort... daß der 6. August den Tag Null einer neuen Zeitrech-
nung darstellte: den Tag, von dem an die Menschheit unrevozierbar fähig
war, sich selbst auszurotten.*[109] Die Darstellung der Diskrepanz zwischen
dem, was der Mensch *herstellen* und *vorstellen* kann, wird eine der zentra-
len Denkfiguren in Günther Anders' Schriften. Diese Diskrepanz wird
sich weiter vergrößern; *sie ist die «conditio humana» unseres Zeitalters
und aller folgenden Zeitalter, sofern uns solche noch vergönnt sein sollten...*[110]

Für Anders markiert der 6. August 1945 die Erfahrung einer Grenze,
die überschritten wurde – die Erfahrung des *Nichts*, das sich unserer Vorstellungskraft entzieht. Nach Hiroshima ist nichts mehr wie zuvor, unser
Dasein im Zeichen der Bombe eine *terra inkognita.* Das gilt auch für die
Philosophie und die Veränderung ihrer ursprünglichen Funktion, die sich
auf eine Interpretation der Welt beschränkte. Ihre wichtigste Aufgabe
wird nun die Orientierungshilfe im unbekannten Gelände sein. Die Argumentation – zunächst hilflos wie ein Mensch in einem bisher uner-
forschten Gebiet – treibt sich herum, verliert sich zuweilen, weil es keine
Wegweiser gibt – und überschreitet die Grenzen der Philosophie, verab-
schiedet sich von hermetischen Systemen mit dem Verlust ihrer beruhi-
genden Logik. Das bloße Dasein ist zu retten vor der menschengemach-
ten, *im nackten Nichts landenden Apokalypse*[111].

Die Gründe für die Notwendigkeit der Veränderung von Sprache leuch-
ten ein: *Wenn es so schwierig ist, über unseren Gegenstand zu sprechen, so
nicht nur deshalb, weil er eine «terra inkognita» ist, sondern auch deshalb,
weil er systematisch im Inkognito gehalten wird: weil die Ohren, für die
man über ihn zu sprechen versucht, im Augenblicke taub werden, in dem
man den Gegenstand auch nur erwähnt. Und wenn es überhaupt eine
Chance gibt, das Ohr des Anderen zu erreichen, so eben nur dann, wenn
man seine Rede so scharf wie möglich zuspitzt. Dies also der Grund für die
Überpointiertheit meiner Formulierungen...*[112]

Hiroshima und die daraus abgeleitete Erkenntnis, daß die Auslöschung
der Menschheit zur Disposition steht, hat Günther Anders fortan zum
Zentrum seines Denkens und Handelns gemacht, ihn veranlaßt, die Philosophie des Elfenbeinturms zu verlassen, weil die Bombe nicht nur über
den Universitätsgebäuden hängt.[113]

Die Auseinandersetzung mit der Atombombe stellt vertraute Begriffe
wie Moral und Ethik in Frage, denn moralisches Handeln ist von der Prämisse ausgegangen, daß Menschen mit Menschen kommunizieren und
sich Verhaltensregeln für den Umgang miteinander schaffen mußten.
Jetzt ist an die Stelle der «Wie»-Frage die «Ob»-Frage getreten, das
heißt, ob es in Zukunft Menschen auf unserem Planeten geben wird. Wir
seien, so hat Anders geschrieben, *Analphabeten der Angst*[114], unfähig,

uns das Ausmaß einer Nuklearkatastrophe wirklich vorzustellen; diese vor 30 Jahren notierte Sentenz verliert nicht dadurch an Wahrheit, daß der Angst durch die Friedensbewegung und die Psychologisierung der Gesellschaft Züge eines gut verkauften Massenartikels anhaften. Wir seien die *Herren der Apokalypse, mindestens für die mehr oder weniger kurze Frist, in der wir omnipotent sind, ohne von dieser unserer Omnipotenz endgültig Gebrauch gemacht zu haben*[115], und Titanen, weil die bloße «Idee» der Bombe uns die Macht verleiht, der Menschheit ein Ende zu bereiten; eine Tatsache, die alle bisherigen Epochen zur Vorgeschichte zusammenschrumpfen läßt. Wir nähern uns – so Anders – Friedrich Nietzsches Ideal des Übermenschen, für den kurzen Zeitraum, der uns noch bleibt. *Da wir die ersten Titanen sind, sind wir auch die ersten Zwerge und Pygmäen oder wie immer wir uns kollektiv befristete Wesen nennen wollen, die nun nicht mehr als Individuen sterblich sind, sondern als Gruppe, und deren Existenz nur bis auf Widerruf gestattet bleibt.*[116]

Vom Wesen der Bombe

Eine Orientierungshilfe im unbekannten Gelände ist die Frage nach dem *Wesen der Bombe*, deren Beantwortung politische und philosophische Konsequenzen fordert, schon allein deshalb, weil die Bombe zum Subjekt transformiert ist. Sie sprengt die herkömmliche Mittel-Zweck-Einteilung, die unser technisches Zeitalter bisher bestimmt hat. Als einziges Exemplar seiner Gattung wird sie zum Gegenstand sui generis. Daß die Bombe kein Mittel sein soll, ist nur schwer vorstellbar, weil sie eine Waffe ist; außerdem hat die *Kategorie «Mittel» heute eine Geltungsuniversalität gewonnen. Die Welt ist ein Universum, in der es eigentlich anderes als Mittel nicht gibt... Zum Begriff des «Mittels» gehört es, daß es, seinen Zweck «vermittelnd», in diesem Zweck aufgehe; daß es in diesem ende wie der Weg im Ziel, daß es also als eigene «Größe» verschwinde, wenn das Ziel erreicht ist.*[117] Da die Bombe als eigene Größe nicht verschwindet, kann sie kein Mittel sein, der geringste Effekt bei ihrem Einsatz wäre größer als jeder von Menschen gesetzte Zweck. Und zu einer weiteren Zweckbestimmung würde es nicht mehr kommen, denn der Zweck ist im angeblichen Mittel aufgelöst.

Mit der Bombe verschwindet auch das bestimmende Element unseres Zeitalters: die Steigerung der Effizienz, die zwar technisch möglich ist, ihren Sinn aber verliert. *Wenn jemand die Bombe in der törichten Hoffnung verwenden würde, damit ein bestimmtes endliches Ziel durchzuset-*

zen, *die Wirkung, die er erzielen würde, würde mit seinem Ziele keine Ähnlichkeit mehr haben.*[118]

Anders geht sogar noch weiter: Er spricht von einer Inversion von Mittel und Zweck. Produkte, die als Nebenertrag bei der Forschung abfallen, müssen nachträglich legitimiert werden; mit erheblichen Folgen für die Kritik, denn sie beschränkt sich nur noch auf deren Eignung als Mittel und nicht auf den Zweck. Aus dieser Bestimmung des Wesens der Bombe resultiert die Notwendigkeit einer Moraldiskussion: Diejenigen, die die Bombe konzipiert haben oder für sie verantwortlich sind, werden als Menschen von der Bombe genauso betroffen wie jene, gegen die sie gerichtet ist. Die Unterscheidung zwischen Schuldigen und Unschuldigen scheint obsolet zu werden. *Deutlich scheint allein, wer nicht schuldig ist*[119], aber: *Aktuell Schuldige gibt es eben doch. Und zwar deshalb, weil, wie undeutlich die Zurechnungsfrage bis jetzt auch gewesen sein mag: die wirkliche Schuldfrage nun erst beginnt... Wie unschuldig bis heute einer auch gewesen sein mag, nun w i r d er schuldig, wenn er denen, die noch nicht sehen, die Augen nicht öffnet... Nicht in der Vergangenheit liegt die Schuld, sondern in der Gegenwart und in der Zukunft. Nicht nur die möglichen Mörder sind schuldig, sondern auch wir, die möglichen morituri.*[120]

Anders hält den Ansatz der Friedensbewegung für ungenügend, nach dem der potentielle Einsatz der Bombe verhindert werden soll. Vielmehr müßte viel weiter zurückgegangen werden, denn die Bombe *wird ständig eingesetzt*[121]. Damit rekurriert Anders nicht auf Hiroshima oder Nagasaki, sondern auf die Verwendung der Bombe in der Nachkriegszeit. *Ihre bloße Existenz, ihr bloßer Besitz, die bloße Möglichkeit ihrer Verwendung macht die Bombe automatisch ultimativ, sie ist eine Ding gewordene Erpressung.*[122] Der Einsatz der Bombe als Druckmittel hat nicht nur psychologische Gründe, sondern auch wirtschaftsmoralische, denn Nichtverwendung eines Produkts ist ein ökonomisch unhaltbarer Zustand. Auf Grund ihres gewaltigen Zerstörungspotentials kann die Bombe aber nur alle oder keinen erpressen; die ganze Menschheit lebt also in einem Zustand der *Selbsterpressung*[123].

Desweiteren wird die Bombe bereits in Experimenten eingesetzt, und diese unterscheiden sich erheblich von anderen naturwissenschaftlichen Versuchen, die ein abgeschlossenes Probefeld haben, das die Auswirkung auf die Realität ausschließt. Bei Atombombenversuchen ist das nicht mehr der Fall, die Experimente werden zwar lokal begrenzt auf Koralleninseln oder in der Wüste durchgeführt, die Streuung bei einer Explosion ist jedoch nicht einzugrenzen. *Die Effekte sind so ungeheuer, daß im Moment des Experiments das «Laboratorium» ko-extensiv mit dem Globus wird. Das aber bedeutet nichts anderes, als daß zwischen «Probe» und*

Explosion einer Atombombe auf einem Atoll im Südpazifik

«Durchführung» zu unterscheiden seinen Sinn verloren hat, daß jedes «Experiment» zu einem «Ernstfall» geworden ist... Was man «Experimente» nennt, sind also Stücke unserer Wirklichkeit, unserer geschichtlichen Wirklichkeit. Ob wir sagen: «Experimente sind keine Experimente mehr» oder: «Sie sind geschichtliche Ereignisse», läuft auf Eines hinaus.[124]

Apokalypse-Blindheit

Angst ist heute zur Ware geworden; und über Angst spricht heute jedermann. Aber aus Angst sprechen nur sehr wenige.[125] Bestimmend für unser Zeitalter ist nach Anders die Unfähigkeit zur Angst angesichts der drohenden Zerstörung der Welt. Der Mensch ist blind gegenüber der Apokalypse, einem Terminus, dem man wegen seines inflationären Gebrauchs mit Skepsis begegnen muß. Die *Apokalypse-Blindheit* der heuti-

75

Über Hotels und Spielsalons in Las Vegas: der Pilz einer Atombombenexplosion, 1957

gen Menschen hat Wurzeln, die einerseits im philosophisch-anthropologischen, andererseits im geschichtlichen Bereich liegen. Das menschliche Vorstellungsvermögen steht immer in einem Verhältnis von Größe und Maß, unsere Fähigkeiten werden um so begrenzter, je größer das Vorzustellende ist. Diese Unfähigkeit hat Anders das *Prometheische Gefälle* genannt. *Die Vernichtung einer Großstadt können wir heute ohne weiteres planen... und durchführen. Aber diesen Effekt vorstellen, ihn auffassen, können wir nur ganz unzulänglich.*[126]

Es besteht eine erhebliche Differenz zwischen unserem bewußtlosen Tun und unserer Fähigkeit, dessen Folgen in ihrer unermeßlichen Dimension zu erkennen und zu verarbeiten; und diese Differenz vergrößert sich dank der Entwicklung der modernen Technik immer mehr. Nicht identisch ist die Differenz mit der von Abstraktion und konkreter Wahrnehmung, denn *die Vernichtung einer Stadt... ist heute keine Abstraktionsleistung; und die Vorstellung, die wir nicht leisten können, ist kein Wahrnehmungsakt*[127]. Die Begrenztheit der «Gefühle» geht weit über die von Kant beschriebene Begrenzung der Vernunft hinaus. Das Gemüt und die Phantasie, so vermutet Anders, haben nur eine bestimmte Kapazität, die nicht überschritten werden kann. Aufgabe der Philosophie wäre es, im Kantschen Sinne, die Begrenztheit unseres Fühlens deutlich zu machen und zu analysieren. Genauso wichtig wie die Divergenz zwischen *Machen* und *Fühlen* ist die zwischen *Wissen* und *Begreifen*. Es mag Menschen geben, die auf Grund ihrer wissenschaftlichen Ausbildung viel mehr «wis-

Die Aufbereitungsanlage für Spaltprodukte in Oak Ridge, Tennessee, um 1958

sen» als andere, eine Vorstellung vom Ausmaß einer Atomkatastrophe haben sie trotzdem nicht. Insofern ist die Bombe wirklich «demokratisch», weil es nur Inkompetente gibt, in deren Händen die Verfügung über die Apokalypse liegt.

Anders behauptet nicht nur, daß wir den Ergebnissen unseres Tuns gefühlsmäßig nicht mehr gewachsen seien, sondern daß unsere Fähigkeit zur Angst und Reue proportional zur Entwicklung der Technik sinke. Verglichen mit diesem Gefälle muten die Antagonismen, die die Menschheit früher bewegt haben, wie der zwischen «Geist und Fleisch» oder «Pflicht und Neigung», geradezu unwesentlich an. Der Mensch war, wenn er mit seinen inneren Widersprüchen kämpfte, immer noch «da». *Nicht so heute. Selbst dieses Minimum an Sicherung der Identität ist nun verspielt. Denn das Entsetzliche am heutigen Zustand besteht ja gerade darin, daß von einem Kampf gar keine Rede sein kann, daß vielmehr alles friedlich und in bester Ordnung zu sein scheint... Da die Vermögen sich voneinander entfernt haben, sehen sie einander schon nicht mehr; da sie einander nicht mehr sehen, geraten sie schon nicht mehr aneinander...*[128] Die totale Trennung zwischen Tun und Fühlen, die Anders konstatiert, die fehlende Verbindung und das fehlende Wechselspiel zwischen beiden, führen zum Verschwinden des Menschen. Übrig bleiben lediglich Menschenfragmente.

Die Banalität des Bösen war der wesentliche Charakterzug der «Angestellten» von Auschwitz, die dort «arbeiteten» und gleichzeitig liebevolle Familienväter sein konnten; *daß sich diese Fragmente nicht im Wege standen, weil sie einander schon nicht mehr kannten, diese entsetzliche Harmlosigkeit des Entsetzlichen ist kein Einzelfall geblieben. Wir alle sind Nachfolger dieser im wahrsten Sinne schizophrenen Wesen.*[129] Unsere einzige Chance besteht in der Ausbildung der moralischen Phantasie und in der Überwindung der Differenz zwischen Tun und Vorstellen, eine Anstrengung, deren Erfolg für Anders mehr als unwahrscheinlich ist, die wir aber trotzdem unternehmen sollten. Es geht zunächst darum, das Experiment zu beginnen, selbst auf die Gefahr des möglichen Scheiterns hin.

Verwunderlich ist, daß in der heutigen Zeit, trotz der immensen Möglichkeiten der Kommunikationsmittel, in jeden Winkel der Erde vorzudringen, und trotz der Bedrohung durch die Atombombe, eine *eschatologische Windstille*[130] herrscht. Die Massendemonstrationen gegen atomare Waffen – auch gerade in den fünfziger Jahren, als Anders seinen Aufsatz über die Bombe schrieb – können nicht darüber hinwegtäuschen, daß zwar das Aktuelle der Gefahr gesehen wird, nicht aber die *millionenfach angstvolle Erwartung des Endes*[131]. Das liegt nicht daran, daß eschatologische Erwartungen nicht explizit dieses Jahrhundert bestimmt hätten, Revolutionen und die Proklamierung des «Tausendjährigen Reiches»

Demonstration der Atomwaffengegner in München, 1. Mai 1958

Protest gegen die geplante Bewaffnung der Bundeswehr mit Atomwaffen in München, 1958

bezeugen dieses Wagnis. Die «revolutionären» Bewegungen waren aber nicht auf die Verhinderung eines apokalyptischen Endes gerichtet, sondern auf eine Zukunft, die keiner Begrenzung zu unterliegen schien.

Einer der Hauptgründe für die Unfähigkeit, die zu erwartende Katastrophe zu begreifen, ist der Fortschrittsglaube des 19. Jahrhunderts. Den Begriff des Negativen hatte der Fortschrittsgläubige aus seinem Weltbild verbannt, seine Vorstellung von Geschichte orientierte sich an der Zukunft, und trotz aller Rückschläge konnte sich Geschichte nur positiv entwickeln. *Tatsächlich religierte man auch alles, was man als «negativ» einräumte, in die Vergangenheit... Auf «schlechtes Ende» war man nicht eingestellt, weil es weder etwas Schlechtes noch ein Ende gab. Die Vorstellung «schlechtes Ende» fiel seelisch aus; sie war so wenig auffaßbar wie für uns heute etwa die Vorstellung eines räumlich endlichen Weltalls.*[132] Selbst das Negative in Hegels Dialektik wurde «positiviert», indem man es lediglich als Provokation deutete. Das Verschwinden des Negativen stellt Anders auf eine Stufe mit dem Verlust des alten Weltbildes durch Nikolaus Kopernikus. Dieser Verlust hat zur Verherrlichung des modernen Menschen geführt und zu seiner heutigen Angst-Unfähigkeit. Anders strebt keineswegs eine künstliche Rehabilitierung der Apokalypse-Angst an, sondern versucht, Analogien zu finden, um uns die Angst, die wir eigentlich haben müßten, vorstellbar zu machen.

Der Fortschrittsglaube hat sich in unser Jahrhundert gerettet und dazu geführt, daß dem Menschen sein eigenes Ende nicht transparent erscheint, *... er unterschlägt seinen Tod*[133]. Passivität, die Unzulänglichkeit des Menschen, ewig zu existieren, und die Gewißheit, ein Mangelprodukt zu sein, führen zu einem Verhalten, das die *Schande des Sterbens*[134] vertuscht. Beispielhaft für diese Täuschung sind die amerikanischen Friedhöfe, deren Lage wie in einem Reiseprospekt angepriesen wird, und die geschminkten Toten, die an Schlafende erinnern sollen. Schon der Darwinismus des vergangenen Jahrhunderts deutete den Tod als «Sieb des Lebens», durch das die Schwächeren fallen, während die Stärkeren in ihm hängenbleiben, und trug damit zur Verschleierung seiner tatsächlichen Dimension bei. *Von einer Menschheit, deren Beziehungen zum Tode noch gestern so unzulänglich und so opportunistisch gewesen waren, zu erwarten, sie könnte ein «Ende» im apokalyptischen Sinne auffassen, oder sich auf ein solches Ende sogar gefaßt machen, das wäre in der Tat ungerecht.*[135]

Die Unfähigkeit, sich eine über die nächsten Tage und Jahre hinausgehende Zukunft vorzustellen, rührt also von der Tatsache, daß sich eine Vorstellung von Zukunft durchgesetzt hat, die sich außerhalb unseres Tuns entwickelt. Diese Zeiten der Unbeschwertheit sind jedoch vorbei: *Denn die Zukunft kommt nicht mehr... Wir machen sie.*[136] Die

Resultate unseres Handelns bleiben, die Zukunft offenbart sich schon in der Gegenwart. Unsere Macht reicht demnach in eine Zukunft hinein, die wir uns nicht vorstellen können. Die Aufgabe, die wir bewältigen müssen, ist eine Erweiterung unserer Vorstellung von Zeit, nicht im Sinne von Prophezeiungen, sondern von der Synchronisierung des entferntesten Zeitpunkts mit unserer Gegenwart, ähnlich wie das Fernsehen die räumlich entferntesten Punkte auf einen Ort zu konzentrieren vermag. *Daß damit ein ungewöhnliches Verhältnis zur Zeit postuliert wird, ist unbestreitbar, Denn nicht mehr «vor uns» soll die Zukunft nun liegen, sondern von uns eingefangen, «bei uns», als uns gegenwärtige.*[137] In dieser Erkenntnisleistung, die Anders vom heutigen Menschen fordert, liegt die Paradoxie, daß er etwas erforschen soll, was nicht da ist, also einen Mangel, während die gängige Forschung vom Faktischen ausgeht. Anders' Forderung geht in die Richtung einer moralischen Erkenntnistheorie. Und dies noch aus einem anderen Grund: Wir können nur etwas auffassen, wenn es uns wirklich betrifft. Darum muß die zukünftige Zerstörung der Welt als unsere eigene Angelegenheit angenommen werden, selbst wenn wir im Augenblick noch nicht unmittelbar betroffen sind. Erschwerend kommt noch hinzu, daß uns die faktische Situation auf Grund der gesellschaftlichen Verhältnisse nichts angehen darf. *Darum ist z. B. die Frage, ob denn nicht Abertausende etwas von den Liquidierungs-Installationen gewußt hätten, unangemessen gefragt; daß sie gewußt haben, trifft vermutlich zu; aber aufgefaßt haben sie sie nicht, weil es von vornherein klar war, daß irgendetwas dagegen zu unternehmen, außer Betracht blieb. Also lebten sie weiter, als wüßten sie nicht. Genau was wir tun, obwohl wir von der Bombe «wissen».*[138]

Eine weitere wichtige Ursache für die Apokalypse-Blindheit ist der geschichtliche Umschlag vom telosorientierten Arbeiten zum «Mit-Tun» und Bedienen in den heutigen Betrieben. Das Dasein des Menschen ist durch Medialität geprägt, nicht nur in totalitären Systemen, sondern auch in Staaten, die den Konformismus sanft erzwingen. Mit dieser Medialität erklärt sich Anders auch das *verstockte* Verhalten von Menschen, die in den Vernichtungslagern gearbeitet haben. Sie hatten kein Unrechtsbewußtsein, weil sie in den Konzentrationslagern genauso «gearbeitet» haben wie in anderen Betrieben auch. Das heißt für Anders keineswegs, daß er verstehen oder entschuldigen, sondern die Struktur des heutigen Arbeitens zeigen will, in dem Moral etwas ganz und gar Unerwünschtes darstellt. Worauf Anders insistiert ist *vielmehr, daß die Untaten, da sie in der «Medialität» des heutigen Arbeitsstils gründeten, aufs engste mit dem Wesen der heutigen Epoche zusammenhängen; daher ungleich furchtbarer und verhängnisvoller waren, als man es damals, als man sich (sehr vorübergehend) mit ihnen auseinanderzusetzen versuchte (z. B. in den Erör-*

terungen über «Kollektivschuld») gesehen hatte.[139] Die Bedingungen des medialen Arbeitens existieren immer noch, und deshalb scheint es gefährlicher Selbstbetrug zu sein, die Massenvernichtung im Nationalsozialismus als einmaligen unwiederholbaren «Fehler» zu interpretieren. Die Verläßlichkeit der «Arbeitenden» wird es einem Herostraten immer wieder ermöglichen, einen Genozid zu planen und durchzuführen. Das moralische Dilemma heute besteht in dem Verlangen nach hundertprozentigem Mit-Tun in der Arbeitswelt auf der einen Seite und der gesellschaftlichen Erwartung eines moralischen Verhaltens auf der anderen. Dieses Dilemma ist nicht lösbar, weil auch die moralischen Aufgaben, die dem Menschen gestellt werden, eine Fortführung der Arbeitswelt sind.

Entscheidend ist aber nicht die Moral des «Handelnden», sondern – auf Grund des Effekts – die bloße Existenz der Atombombe. Das entbindet den Menschen nicht von seiner Verantwortung, sich die Ergebnisse seines Tuns pausenlos vor Augen zu führen. Der Besitz der Bombe reicht schon aus, um ihren «Besitzer» schuldig zu machen, *als schuldig des Nihilismus, des Nihilismus im globalen Maßstabe*[140], weil er der Moral der Dinge anhängt, die er besitzt. Damit ist nicht die marxistische These der Bestimmung des Bewußtseins durch das Sein gemeint, nach der die Menschen durch ihre Umwelt unmoralisch werden. Vielmehr erweisen sich unsere moralischen Kategorien von «Gut» und «Böse» als unbrauchbar, weil «Handeln» durch das Gefälle zwischen Vorstellen und Herstellen bestimmt ist.

Da die Maxime der Bombe der Nihilismus ist, das heißt, alles ist eins und wird behandelt *als etwas, was der Radiumverseuchung zugänglich ist… Und da, wie wir wissen, wer ein Ding hat, auch dessen Maxime hat, ist es auch die Maxime derer, die die Bombe haben.*[141] Diese Menschen, denen die Vernichtungswaffen wie andere technische Neuerungen ohne Anstrengung in den Schoß fielen, sind geschichtlich monströs, weil sie die Macht zur Vernichtung besitzen und gleichzeitig unfähig sind, diese Macht zu erkennen. Aber nicht nur diese Menschen sind Nihilisten, sondern – so Anders – wir alle. Geschichtlich fallen der erste Abwurf der Atombombe und das Aufkommen des Nihilismus als existentialistische Modeerscheinung (beispielsweise in Frankreich) zusammen. Beiden liegt als Ausgangsvoraussetzung der Nationalsozialismus zugrunde, als die *Quintessenz des Nihilismus… weil er, als erste politische Bewegung Menschen, ja Menschenmassen als Menschen verneinte, um sie als bloße «Natur», als Rohmaterial oder Abfall effektiv zu vernichten*[142]. Die Atombombe wurde, wie man weiß, ursprünglich mit dem Ziel entwickelt, die Herrschaft des Nationalsozialismus in Europa zu beenden, und die französischen Existentialisten beschäftigten sich hauptsächlich mit der Darstellung des Daseins unter dem NS-Terror, wo sich der Mensch als nichts anderes als vernichtbar erkannte. Psychologisch bilden diese beiden Spielarten des Nihilismus eine Einheit, weil die Spekulationen gleichgültig geworden sind, ob die Bombe ein Zeugnis der Sinnlosigkeit unseres Daseins oder die Sinnlosigkeit unseres Daseins ein Grund für die Notwendigkeit der Existenz der Bombe ist. *Gleichviel, wo Voraussetzung und Behauptung reversibel sind, handelt es sich um ein unauflösliches und nicht mehr argumentativ widerlegbares, sondern nur noch im Ganzen zerstörbares, emotionalgültiges Ideologie-Stück des Zeitalters.*[143]

Konsequenzen

Wenn Günther Anders unser Zeitalter als das der «dritten industriellen Revolution» bezeichnet, geht es ihm nicht um eine historische oder naturwissenschaftliche Definition, sondern um eine philosophische. *Von einer wirklichen «industriellen Revolution», also von der ersten, kann erst in demjenigen Augenblick gesprochen werden, in dem man damit begann, das Prinzip des Maschinellen zu i t e r i e r e n, das heißt: Maschinen, oder Maschinenteile, m a s c h i n e l l   h e r z u s t e l l e n.*[144] Die Menschen, deren Arbeit nunmehr darin besteht, die Maschinen zu «bedienen», werden überflüssig. Der Mechanismus des Industriekosmos zielt darauf ab, Produkte herzustellen, die dann Produktionsmittel zur Herstellung neuer Produkte werden, bis am Ende der Kette das Finalprodukt steht, dessen einziger Sinn der seines Gebrauchs ist, wie *Brote und Granaten*[145]. Als Hersteller und Konsument steht der Mensch nur noch am Anfang oder am Ende der Produktionskette. Aus diesem Grund kann Anders von der *Antiquiertheit des Sinnes*[146] sprechen, vorausgesetzt, man geht von einer Systemneutralität seiner Untersuchungen aus. Durch die technische Revolution ist Arbeit *eidos-los* geworden, weil dem Arbeiter die Möglichkeit versagt ist, die Produkte seines Tuns wahrzunehmen. Die Produkte sind transzendent, da der Weg zwischen Handgriff und Produkt unendlich vermittelt ist, die zahlreichen Leistungen anderer in die Produktion einfließen und eine Sabotage des Produkts ausgeschlossen ist. Eidoslosigkeit und Transzendenz sind die wesentlichen Merkmale der heutigen Arbeit, die dem Produzierenden die Verfügung über sein Produkt verweigert. Für Anders erweist sich das Gerede von der Humanisierung der Arbeit als leeres Geschwätz, weil mit dieser Forderung ihre tatsächlichen Implikationen verschwiegen werden. Die Flucht in die Hobbys während der Freizeit ist nur eine scheinbare Lösung, weil hier der Sinn der Beschäftigung in bewußtlosem Beschäftigtsein besteht. Die Ausfüllung der Freizeit dient zur *Herstellung der Zufriedenheit oder gar des Glücks des*

Beschäftigten. Das Produkt ist also Mittel zur Herstellung von ‹Schein›-Arbeit, nicht – dies ist der Normalfall – Arbeit das Mittel zur Herstellung von Produkten.[147]

Weil die Produktion den Verbrauch übersteigt, muß zwischen Produkt und Verbraucher ein weiteres Produkt geschaltet werden: der «Bedarf». Der intendierte Bedarf entspricht nicht den natürlichen Bedürfnissen der Menschen und muß deshalb mit Hilfe einer eigenen Industrie – der Werbung – künstlich erzeugt werden. Diese künstliche Erzeugung von Bedürfnissen ist die «zweite industrielle Revolution», die durch die moralischen Imperative der Technik bestimmt ist und diametral den Moralkategorien früherer Generationen entgegensteht. Die heutige Endlichkeit des Menschen zeichnet sich nicht durch die Tatsache aus, daß er ein bedürftiges Wesen ist, sondern daß er zu wenig bedarf. *Tatsächlich werden diese Imperative strikt befolgt, «Abtreibung» von Produkten... ist aufs strengste verpönt, was zur Folge hat, daß nun tausend Dinge das Licht der Welt erblicken..., die keinem menschlichen Bedürfnis entgegenkommen ... auch keiner artifiziellen Nachfrage. So hat man z. B., um das Bedürfnis der Technik zu befriedigen, also um das Machbare zu machen, Waffen hergestellt, die den mehrfachen Untergang der Menschheit ermöglichen – einen Zustand also, nach dem nicht nur kein Bedarf besteht, nein, der jeden Fortbestand der Industrie... ausschließt.*[148]

Die «dritte Revolution» wurde durch die Fähigkeit der Menschheit ausgelöst, ihren eigenen Untergang durch die Atombombe herbeizuführen. Die Kernspaltung als Symbol dieser letzten Revolution, nach der es keine mehr geben wird, ist nicht nur ein physikalisches Novum; ihr wahrscheinlicher Effekt ist metaphysischer Natur, weil seit dem Abwurf der Atombombe auf Hiroshima die herrschende Geschichtsauffassung revidiert werden muß: *Die Epoche der Epochenwechsel ist... vorüber.*[149] Unser Zeitalter ist ein endgültiges, eine letzte Frist, die uns noch bleibt.

Da diese Revolution nun die letzte ist, es aber trotzdem im Bereich der Technik, die Subjekt der Geschichte und der Philosophie geworden ist, immer noch spektakuläre Stadien gibt, kann man nach Anders nur noch von *Binnenrevolutionen*[150] sprechen, Revolutionen der zweiten Natur, ein Begriff, der heute nur noch im metaphorischen Sinne verwendet werden sollte. Die Menschheit stellt Natur her, nicht nur als Variante, das heißt durch die Züchtung neuer Pflanzen und Tierarten, sondern durch die Herstellung von Stoffen, die es bisher nicht gegeben hat. *Ich denke da zum Beispiel an die Elemente 93 und 94 – Element 94 ist das Plutonium, das es bis vor kurzem «nicht gegeben» hat, und das erst durch den Eingriff des wahrhaft «gottgleichen» Menschen, nämlich durch die Bearbeitung von U 238, im Umkreis des Seienden, im Umkreis der Natur aufgetaucht ist. (Und zwar als das fürchterlichste Gift, das es nun in der Natur gibt.)*[151]

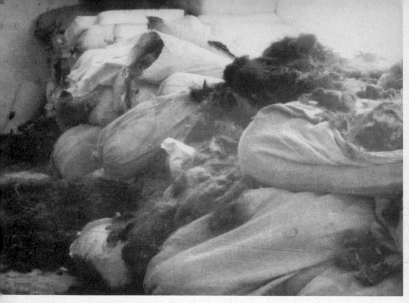

Menschen als Rohstoff: Säcke mit Haaren im KZ Auschwitz

Der Mensch verwandelt sich vom homo faber, der mit seinem Werkzeug Natur bearbeitet, zum Natur herstellenden und erfindenden *homo creator*[152].

Auschwitz löste die zweite Binnenrevolution aus: die *Verwandlung des Menschen in Rohstoff*[153]. Denn in Auschwitz wurden nicht Menschen getötet, sondern Leichen hergestellt, deren Haare und Zähne als Restprodukte verwendet wurden. Obwohl Auschwitz sich moralischen Kategorien entzieht und nicht allein – wie Anders das tut – durch das Primat der Technik erklärt werden kann, hat zumindest das Resultat und nicht der Sozialcharakter derjenigen, die nicht mehr handelten, sondern «bedienten», in seinem Koordinatensystem der industriellen Binnenrevolutionen eine Berechtigung.

Evident ist heute die Veränderung am Lebendigen, womit nicht die Erziehung gemeint ist, sondern die Gen-Manipulation. 1980, als *Die Antiquiertheit des Menschen II* erschien, war die Gen-Manipulation am Menschen noch Spekulation. Heute wissen wir, daß derartige Versuche schon durchgeführt werden. *Während der Atomkrieg die Vernichtung der Lebewesen inclusive der Menschen bedeutet, bedeutet das «cloning» die Vernichtung der Spezies qua species, unter Umständen die Vernichtung der Spezies Mensch durch Herstellung neuer Typen.*[154] Um eine industrielle Revolution handelt es

Das Sonderkommando verbrennt Leichen in der Grube am Krematorium V
im KZ Auschwitz-Birkenau.
Das Foto wurde 1944 von Häftlingen heimlich aufgenommen

sich bei der Gen-Manipulation, weil sie über die bisher üblichen Bestimmungen des Menschen als Eigentümer, Erfinder, Arbeiter, Verkäufer und Konsument hinausgeht und ihn lediglich als physiologisch veränderbare Rohstoffmasse behandelt. Die Manipulierbarkeit des Menschen durch die Veränderungen seines Körpers und seiner Anlagen läßt den Kantschen Imperativ, nach dem der Mensch niemals «bloß als Mittel», Werkzeug oder Sklave benutzt werden dürfe, zu einem antiquierten Postulat werden. Die Welt als veränderbarer Rohstoff, in den immer wieder eingegriffen wird, wirkt sich insofern auf den Menschen aus, als er Bestandteil der Welt ist und deshalb als solcher den Eingriffen und Veränderungen unterliegt. Dieses Stadium nennt Anders den *postzivilisatorischen Kannibalismus*[155].

Die 4. «Binnenrevolution»... ist der Trend, den Menschen, wie absurd das auch klingen mag, – überflüssig zu machen: dessen Arbeit nämlich durch den Automatismus von Geräten zu ersetzen.[156] Diese Entwicklung vollzieht sich zwar nicht gradlinig, aber sie tendiert in eine Richtung, die auf die Minimierung der menschlichen Arbeit ausgerichtet ist. Ziel der Unternehmer ist nicht die *Arbeitslosigkeit des Arbeiters, sondern die Arbeitslosigkeit ihrer Betriebe*[157]. Wenn man einen Workers-Quotient (WQ) im Produktionsbereich einführen würde, könnte man feststellen, daß er sich in Richtung Null bewegt. Die Rationalisierung führt zu einer Situation, in der Arbeit unüblich wird und den meisten Menschen eine Existenz ohne Arbeit bevorsteht. Anders will mit dieser Feststellung keineswegs die Arbeit – zum Beispiel in einer Fabrik – als die mögliche, erstrebenswerte Alternative darstellen, vielmehr geht es ihm darum, eine Welt vorzuführen, in der die Fließbandarbeit und die Computerisierung zwangsläufig zu einem Zustand führen, der den Menschen als tätiges Wesen überflüssig macht. – Freizeit wird zum Fluch. Völlig absurd erscheint der Versuch, die Herrschaft der Geräte durch eine erzwungene Rückentwicklung zu brechen. Das hieße beispielsweise *Fahrscheinentwerter durch archaische Schaffner*[158] zu ersetzen. Abgesehen davon wäre der Mensch gezwungen, wieder Geräte zu bedienen, durch die er sich erneut überflüssig machen würde.

Wir befinden uns in einer Entwicklung, die sich unaufhaltsam in Richtung leeres Leben bewegt. Vor mehr als einem halben Jahrhundert hat sie begonnen und im Nationalsozialismus ihre *blutige Pseudo-Bewältigung*[159] erfahren. Heute ist die Eliminierung des Menschen als Arbeitender das wichtigste Merkmal der «dritten industriellen Revolution», in der die Hauptaufgabe der Wissenschaft nicht mehr darin besteht, die Welt und ihre Gesetzmäßigkeiten zu untersuchen, sondern ihre Verwertbarkeit auszumachen. *Die (gewöhnlich selbst verborgene) metaphysische Voraussetzung der heutigen Forschung ist also, daß es nichts gibt, was nicht ausbeutbar wäre.* «*Wozu dient der Mond?*» *(molussisch). Daß er zu etwas dienen müsse, wird keinen Augenblick bezweifelt.*[160]

Gemeint ist die Welt also nicht als ein «*an sich*», *sondern als ein* «*für uns*»... *im Sinne eines, wenn man so sagen darf:* «*pragmatischen Idealismus*», *daß Seiendes Korrelat der Verwendung sei... Kurz: Rohstoffsein ist criterium existendi, Sein ist Rohstoffsein – dies ist die metaphysische Grundthese des Industrialismus.*[161]

Günther Anders ist *in die Praxis desertiert*[162], ein unverzeihlicher Fehler in den Augen seiner philosophierenden Kollegen, wie er im Vorwort der *Antiquiertheit des Menschen II* vermerkt. In den fünfziger Jahren schloß er sich der Anti-Atom-Bewegung an, die nach seiner Aussage nicht nur dadurch an Bedeutung verlor, weil die SPD die Unterstützungsgelder sperrte, sondern weil es den Menschen unmöglich ist, sich die Katastrophe dauerhaft vorzustellen. Nach einem 1959 an der Berliner Universität gehaltenen Seminar über Probleme der Moral formulierte er seine *Thesen zum Atomzeitalter,* in denen neben der Darstellung einer veränderten Moral die Handlungsmaxime für ein Leben unter der Drohung der Bombe skizziert ist. Der Aufruf endet mit der Aufforderung: ... *von allen hier aufgestellten Behauptungen gilt: Sie sind niedergeschrieben, damit sie nicht wahr werden. Denn nicht wahr werden können sie allein dann, wenn wir ihre hohe Wahrscheinlichkeit pausenlos im Auge behalten und dementsprechend handeln. Es gibt nichts Entsetzlicheres als recht zu behalten. – Denjenigen aber, die, von der düsteren Wahrscheinlichkeit der Katastrophe gelähmt, ihren Mut verlieren, denen bleibt es übrig, aus Liebe zu den Menschen die zynische Maxime zu befolgen:* «*Wenn ich verzweifelt bin, was geht's mich an! Machen wir weiter als wären wir es nicht.*»[163]

Utopien kann es für Anders nicht mehr geben, und das bestimmt auch sein Verhältnis zu den Schriften Ernst Blochs, dem er noch sein Buch *Der Blick vom Mond* gewidmet hatte. Er wirft Bloch die Ignoranz der Atombombe in seinen Schriften und die Auffassung von einer in die Zukunft gerichteten Geschichte vor, denn für Anders ist Geschichte zur bloßen Vorgeschichte zusammengeschmolzen. Mit seiner Feststellung, daß *im Vergleich zu dieser ungeheuren Veränderung der Situation... die Unterscheidungen, die wir als Marxisten zwischen Herrschaftssystemen, auch zwischen Klassen gemacht haben, sekundär würden... daß wir aufgrund dieser Veränderung die Fundamente unseres Philosophierens... verändern müßten*[164], stieß er bei Bloch auf Unverständnis. Konrad Liessmann verweist in seinem Buch über Anders[165] auf die ontologische Differenz zwischen den beiden Philosophen: Während man Blochs Philosophie als eine des «Noch-nicht-Seins» definieren könne, sei das Anderssche Denken durch das «Gerade-Noch» oder weitergehend: durch das drohende

«Nicht-Mehr» bestimmt. Anders selbst führt Blochs Festhalten an der Utopie auf dessen messianische Heilserwartung als bestimmendes Element der jüdischen Religion zurück. Um den Unterschied zwischen seinem und Blochs Denken zu charakterisieren, zitiert Anders einen Spruch, der angeblich auf einem Seminartisch eingeritzt war:

ernst bloch spricht:
‹wir sind noch nicht›
ernster als bloch
wäre: ‹gerad' noch.›
anders wär:
‹nicht mehr.›[166]

Durch die bloße «Idee» der Atombombe sind die Bewohner dieser Erde zu *invertierten Utopisten* geworden, argumentiert Anders gegen Bloch, *während Utopisten dasjenige, was sie sich vorstellen, nicht herstellen können, können wir uns dasjenige, was wir herstellen, nicht vorstellen*[167]. Um unsere Phantasie für das Unvorstellbare zu erweitern, bedarf es einer Einbeziehung der Veränderung von zeitlichen und räumlichen Dimensionen in unser Denken. Da selbst Atomversuche durch die freigesetzte Radioaktivität keine räumlichen Grenzen mehr kennen und das Land für Generationen kontaminieren können, wird der Zeit- und Raumfaktor für ein verantwortliches Handeln eminent wichtig. Oft genug ist Anders mit dem mangelnden Interesse an zukünftigen Generationen konfrontiert worden. Und wenige begreifen angesichts der Ungleichzeitigkeit, mit der technische Entwicklung als Gefälle zwischen der sogenannten Dritten Welt und den Industrienationen verläuft, daß es Anders um etwas Grundsätzliches geht: um den Umschlag von Geschichte, die zu einer antiquierten wird, zu einer «Frist», in der wir minimale, aber dennoch nicht genügend ausgeschöpfte Möglichkeiten haben, dem drohenden Weltverlust entgegenzutreten.

Obwohl es offensichtlich scheint, daß der Mensch in seiner Apparatewelt eingesperrt ist, nicht mehr arbeitet, sondern nur noch «bedient», sind sich die wenigsten dieses Umschlags bewußt. Das Hindernis, das einer Bewußtwerdung entgegensteht, hängt damit zusammen, *daß der Ausbruch dieser neuen Situation (obwohl er mit weltgeschichtlichen Maßstäben gemessen, rasant gewesen ist) doch, mit der Elle des Individuallebens gemessen, zu allmählich vor sich gegangen ist, als daß der Einzelne das Revolutionäre des Ereignisses registriert hätte; und schließlich, daß … die Einsicht in die Entthronung des Menschen und die Inthronisierung der Technik aufs Geschickteste vernebelt wird.*[168] Ein weiteres Hindernis für eine Erkenntnis über den bedrohten Zustand der Welt ist die Ablösung des *Handelns* durch *Arbeit*, und diese Arbeit hat sich – noch weitergehend – zum bloßen *Auslösen* entwickelt.

Ernst Bloch, um 1970

Tatort und *Leidensort* fallen wie bei früheren Verbrechen nicht mehr zusammen, denkt man an Raketen, die durch Fernzündung ausgelöst werden oder die Unfähigkeit des Hiroshima-Piloten Claude Eatherly, sich zunächst das Ausmaß seiner «Mittäterschaft» vorzustellen, weil er die Bewohner Hiroshimas von seinem Flugzeug aus nicht wahrnehmen konnte. *Auslösung* wird zur *Tarnform der Arbeit*[169]. Ideologie wird obsolet, denn *Lügen haben es heute nicht mehr nötig, als Aussagen aufzutreten*[170]. Ideologien sind nicht einfach falsche Theorien, sondern sie sind immer Instrumente, die vorgeben, Theorien zu sein. Ihr Ziel ist die Herstellung falschen Bewußtseins, das als freier Wille aufgefaßt werden soll. *Die Wahrheit der Ideologie (das heißt: die wahre Erfüllung des ihrer*

Herstellung zugrundeliegenden Interesses) ist die falsche Praxis.[171]
Handeln gegen eigene Interessen soll als gewollt empfunden werden. *Das Endziel besteht in der willentlichen Herstellung einer Willensliquidierung, einer ‹Abulie›, freilich einer solchen, der im Unterschied zu deren pathologischen Formen wie Indolenz oder Stupor das Bewußtsein des Unfreiseins fehlt.*[172] Da es nach Anders auch nicht mehr um die Unterdrückung oder Zulassung von Meinung geht, weil wir keine mehr haben, sondern nur noch *Gehabt-Werden* – man muß sich bei der Anders-Lektüre immer seine Prämisse vor Auge halten, nach der er die Überpointiertheit seiner Thesen damit begründet, daß er überhaupt noch jemanden erreichen will, um nicht in die tausend Gegenbeispiele zu verfallen, bei denen sehr wohl die Unterdrückung von Meinung politisches Handeln beeinflussen soll –; da unsere Welt als solche schon falsch ist, ist es überflüssig geworden, uns mit falschen Weltanschauungen zu versorgen. *Nichts ist für denjenigen, der die letzten Jahrzehnte (von dem Prunk der nationalsozialistischen Ideologie zu schweigen) bewußt miterlebt hat, so auffällig wie die Dürftigkeit des Ideologiebestandes in der heutigen westlichen Welt, namentlich in der Bundesrepublik – was aber... durchaus nicht bedeutet, daß die westliche Welt bzw. die Bundesrepublik unverlogen oder unheuchlerisch wären; sondern umgekehrt, daß sie, um ihre Ziele zu gewinnen, nicht mehr im gleichen Maße Ideologien benötigen... Da das Ideologische in die Produkte- (namentlich in die Geräte-) Welt selbst eingegangen ist, stehen wir nun bereits in einem nach-ideologischen Zeitalter.*[173]

Folgen wir Anders, so ist unser heutiges Dasein durch die Zäsur des 6. August 1945 determiniert. Dieses Datum sollte der Ausgangspunkt unseres Denkens sein, aber auch unseres Handelns, wenn wir uns nicht paralysiert der drohenden Katastrophe ausliefern wollen. Anders' Überlegungen und Analysen sind keine intellektuellen Spielereien, auch wenn man ihnen wegen ihrer gedanklichen Schärfe und Präzision erliegen könnte: *Die Möglichkeit unserer endgültigen Vernichtung ist, auch wenn diese niemals eintritt, die endgültige Vernichtung unserer Möglichkeiten*[174], lautet das Motto seines Buchs *Die atomare Drohung.*

Anders hat sich aber nicht nur Gedanken über die unausweichliche Vernichtung des Planeten und seiner Bewohner gemacht, sondern auch über die Möglichkeiten des Handelns. *Im Unmittelbaren liegt kein Verdienst. Daß du dich dem Bettler, der vor deiner Tür steht, nicht verschließt, und daß du auf den Passanten, der dir entgegenkommt, nicht einschlägst, das ist keine Tugend, und würde auch nicht zur Tugend, wenn man dich für deine Härte oder deine Roheit entlohnen würde ... das einzige Organ der Tugend ist die Vorstellung, und allein an deren Kraft mißt sich die Moralität deines Handelns. Darum lautet dein erster Imperativ «Stelle dir vor!»* Und dein zweiter, unmittelbar mit diesem ersten zusammenhängender: *«Bekämpfe diejenigen, die die Verkümmerung dieser Leistungen kultivieren.»*[175] Analog zum hippokratischen Eid, den die Ärzte zu Beginn ihrer Berufstätigkeit schwören müssen, versucht Anders, einen universellen hippokratischen Eid zu entwickeln. Denn das Leben von Menschen ist infolge der Arbeitsteilung nicht mehr nur von Ärzten abhängig, sondern von Millionen, die als Publizisten, Farbrikarbeiter, Politiker, Naturwissenschaftler und Beamte arbeiten. Ausgehend von der Feststellung, daß häufig Arbeit und Produkt auf die Bedrohung der Menschen hinauslaufen, daß aber infolge der Arbeitsteilung kaum jemand das Endprodukt seiner Arbeit kennt oder vorstellt, sind die mit Arbeit verbundenen Verpflichtungen im Atomzeitalter wesentlich größer geworden. Anders schlägt auf dieser Folie den Produktstreik vor, das heißt *keine Arbeiten anzunehmen oder durchzuführen, ohne diese zuvor darauf geprüft zu haben, ob sie direkte oder indirekte Vernichtungsarbeiten darstellen;*

die Arbeiten, an denen wir gerade teilnehmen, aufzugeben, wenn diese sich als solche direkte oder indirekte Vernichtungsarbeiten erweisen sollten;

denjenigen unserer Arbeitskollegen, die nicht wissen, was sie tun, über die Bewandtnis ihres Tuns die Augen zu öffnen;

diejenigen Vorgesetzten, die uns zu solchen Vernichtungsarbeiten zu nötigen versuchen, als moralisch unzuständig abzuweisen, beziehungsweise diesen den Gehorsam zu verweigern, diese zu bekämpfen;

und schließlich diesen Entschlüssen auch dann treu zu bleiben, wenn deren Einhaltungen mit Nachteilen oder Gefahren verbunden sein sollten.[176]

Der Produktstreik bezieht sich also nicht auf eine rein materielle Forderung, die nahezu alle bisherigen Streiks seit dem letzten Jahrhundert auszeichnete, sondern wendet sich gegen die Herstellung von Produkten, die «unmoralisch» sind. Problematisch wird, wie Anders in einem Interview äußerte, die Veränderung des Denkens von Arbeitern, deren Erkenntnis durch Sorge um ihren Arbeitsplatz und die Ambivalenz der Produkte verstellt wird. Von der Einsicht, daß ihre vorübergehende Vollbeschäftigung meistens etwas mit einem bevorstehenden Krieg zu tun hat (beispielsweise im Nationalsozialismus), sind die wenigsten zu überzeugen. Als – wenn auch kleinen – Fortschritt bewertet Anders die Tendenz, daß immer mehr Naturwissenschaftler versuchen, ihre Arbeit im gesellschaftlichen Zusammenhang zu reflektieren und durch Herstellung von Öffentlichkeit auf das immense Problem der Produktion von Vernichtungspotential aufmerksam zu machen. Anders selbst will und kann kein *Rezepteschreiber* sein. Seine Arbeit sieht er in der Verbreitung von diskussionswürdigen, zum Handeln anregenden Möglichkeiten und Vorschlägen.

Günther Anders im Gespräch mit dem holländischen Journalisten Lou Brouwers

Hingegen weiß er genau, was nicht sein Weg sein kann, und hier bewegt er sich in Richtung der negativen Kritik Adornos. Vom Händchenhalten in der Menschenkette, Fasten für den Frieden und anderen symbolischen Handlungen hält er nichts. Sie sind für ihn Scheinaktionen, Happenings, die nichts bewirken. Und wenn man den geringen Einfluß konstatiert, den die Demonstrationen von Millionen gegen die Stationierung der Pershing-Raketen auf die Verantwortlichen hatten, so mag man ihm recht geben.

Für die Philosophie aber haben Anders' Einsichten weitreichende Konsequenzen: *Alle bisherige Philosophie, bis hin zu Adorno, geht von der Selbstverständlichkeit des Weiterbestandes der Welt aus. Zum ersten Mal wissen wir von der Welt, in der wir leben, nicht, ob sie weiter bleiben wird. Früher hat jeder Tod innerhalb der Welt stattgefunden und jede Epoche innerhalb der weitergehenden Geschichte. Diese Art von Tod ist nun tot. Denn nunmehr haben wir den Tod der Welt oder der Geschichte selbst ins Auge zu fassen ... Aber dieser neue Todesgedanke wird eben nicht mehr die Chance haben, das übermorgen zu überleben ... Was uns allein beschäftigen muß, ist, dafür zu sorgen, daß wir unrecht haben.*[177] Auf den Einwand eines Interviewers, daß diese Gedanken die Philosophie relativieren, antwortete Anders: *Ist es nicht wichtiger, daß es die Menschheit als daß es die «Philosophie» gebe? Obwohl als «Philosoph» klassifiziert, interessiere ich mich für Philosophie nur wenig. Mein Interesse gilt der Welt. So wie das Interesse des Astronomen nicht der Astronomie gilt, sondern den Gestirnen ...*[178]

Praxis

Günther Anders hat seit der Erkenntnis der Gefahr einer atomaren Katastrophe immer wieder praktisch-politisch eingegriffen. Durch seinen Aufsatz *Über die Bombe und die Wurzeln unserer Apokalypse-Blindheit* lernte er zahlreiche Menschen kennen, die sich in Anti-Atom-Gruppen organisiert hatten. Bodo Manstein, Begründer des Kampfbundes gegen Atomschäden, schlug ihm 1958 vor, als Delegierter an der Fourth World Conference against A and H Bombs, and for Disarmament in Tokio teilzunehmen, wo Anders in der Kommission Moralische Verpflichtungen im Atomzeitalter arbeitete und auch Hiroshima und Nagasaki besuchte. Auf seiner Reise durch Japan entstand die Tagebuchsammlung *Der Mann auf der Brücke*, die 1959 in der Bundesrepublik erschien. Anders warnt den Leser im Vorwort des Buchs: *Aus diesen Tagebuchblättern wird Ihnen kein Aroma des «Fernen Ostens» entgegensteigen. Von Exotik und pittoresken Reizen... wird kaum die Rede sein. Denn nicht vom sogenannten «Fernen Osten» handeln diese Japan-Blätter, sondern von einem sehr nahen: ausschließlich von demjenigen Lande, das durch Hiroshima und Nagasaki bezeichnet wird: in dem also das atomare Zeitalter zur wirklichen Erfahrung geworden ist.*[179] Zwei Chancen wollte er auf seiner Reise nach Japan wahrnehmen: Die Begegnung mit den *post-atomaren Menschen*[180], die in den Krankenhäusern, dreizehn Jahre nach Abwurf der Bombe, an dessen Folgen langsam zugrunde gingen, und den Austausch mit den Gegnern der nuklearen Aufrüstung aus zahlreichen Ländern im Hinblick auf weitere, effektive Schritte gegen die drohende Gefahr.

Das vehemente Eintreten gegen die Atombombe, das sein Buch bis in die beschwörende Sprache hinein bestimmt, trug ihm in der deutschen Presse den Titel *«Atompfarrer vom Dienst»* ein, dessen *«Tagebuch e i n e n mit Flugblättern beladenen Güterzug» aufwöge*[181]. Aber diese *Desorientiertheit scheint nun... durch die Unbestreitbarkeit des Ernstes der Situation «überwunden»*[182].

Günther Anders. Reise nach Hiroshima, August 1958

Günther Anders, August 1958

Claude Eatherly

Im Frühjahr 1959 erfuhr Günther Anders durch eine Zeitungsmeldung, auf die ihn seine damalige amerikanische Ehefrau Charlotte nachdrücklich aufmerksam gemacht hatte, vom Schicksal des Hiroshima-Piloten Claude Eatherly. Wie in einer kurzen Notiz berichtet wurde, befand sich Eatherly zu diesem Zeitpunkt auf Grund der Diagnose eines Ödipus-Komplexes in einer psychiatrischen Klinik der Armee, dem Veterans Administration Hospital in Waco, Texas. *Der Versuch, dem Publikum … einzureden, daß ein in die Katastrophe von Hiroshima mit-hineingerissener Mann nicht unter dieser seiner ungewollten Beteiligung leide, sondern ausgerechnet unter einem Ödipuskomplex, – dieser Versuch schien mir nicht nur eine Irreführung, nicht nur ein Zeichen der Verachtung der Leserschaft, sondern auch ein Symptom moralischer Faulheit; man hatte sich noch nicht einmal die kleine Mühe gemacht, sich etwas Plausibleres auszudenken.*[183] Für Anders war Eatherly das Demonstrationsobjekt einer Veränderung der sittlichen und moralischen Situation im Zeitalter der Bombe und der Beweis seiner These, nach der Menschen schuldlos schuldig werden können auf Grund der Unfähigkeit, die Folgen ihres Tuns zu ermessen. Er beschloß, dem Hiroshima-Piloten zu schreiben, obwohl er nicht damit rechnete, daß sein Brief überhaupt zu dem Patienten durchgelassen, geschweige denn beantwortet würde. Jedoch erreichte ihn schon kurze Zeit später ein Brief Eatherlys.

Claude Eatherly litt unter der Schuld, einen Befehl ausgeführt zu haben, der zur Auslöschung einer Stadt und eines Großteils ihrer Bewohner führte. Das Ausmaß der Zerstörung hatte er wegen der großen Flughöhe zunächst nicht wahrnehmen können. Sein Schuldbekenntnis mußte in einer Zeit, als man die Kriegsheimkehrer in Amerika als Helden feierte, verhindert werden. Eatherly begann an Depressionen zu leiden und versuchte, sich 1950 das Leben zu nehmen, nachdem er von der Planung der Wasserstoffbombe erfahren hatte, die den Effekt der Hiroshima-Bombe noch um ein Vielfaches übertreffen konnte. Nach einem sechswöchigen Aufenthalt in einem Militärhospital, der keine Veränderung seines depressiven Zustands bewirkte, beschloß er, das nationale Leitbild des Kriegshelden an Hand seiner eigenen Person zu demontieren. Er beging geringfügige Delikte, schickte gefälschte Schecks an Anti-Atom-Organisationen in Hiroshima und unternahm einen bewaffneten Raubüberfall, bei dem er das erbeutete Geld unangetastet liegenließ. Klinikaufenthalte und Gerichtsverhandlungen wechselten sich ab, bis er 1959 auf Veranlassung seines Bruders für längere Zeit eingewiesen wurde. «Immerhin hat Major Eatherly etwas erreicht, das er sich vornahm. Es ist ihm schließlich doch gelungen, die Öffentlichkeit auf seinen ‹Fall› aufmerksam zu machen. Allerdings reagierte sie zunächst auf die Nachrichten über den ‹verrückten Piloten von Hiroshima› ganz anders, als Eatherly gehofft hatte. Er wollte die Mitmenschen aufrühren, aber er rührte sie nur. Weit davon entfernt, die im Kriege entstandene, inzwischen zur festen Institution gewordene Militärkaste zu diskreditieren, brachte diese Affäre ihr ‹Publicity›. Denn zeigten nicht die nun erst bekanntgewordenen Bemühungen der Luftwaffe (die wiederholt für Eatherly bei den Gerichten interveniert hatte, um ihn vor einer Gefängnisstrafe zu bewahren ...), wie ‹menschlich› die Militärs eigentlich waren?» (Robert Jungk)[184]

Noch aus der Nervenklinik heraus, dies bezeugt der Briefwechsel mit Anders, korrespondierte Eatherly mit zahlreichen Persönlichkeiten und Gruppen, die ein Ende des Rüstungswettlaufs forderten. Sein Engagement wurde von den Behörden als psychischer Defekt interpretiert, Anlaß für die Einweisung in eine geschlossene Abteilung des Hospitals. In dieser Situation durfte Eatherly auch keine Briefe nach draußen schicken, und der Briefwechsel mit Anders brach für ein halbes Jahr ab. Jedoch hatte ihn der Kontakt mit dem Philosophen davon überzeugt, daß es jemanden gab, der ihn verstand. Die Depressionen gingen zurück, aber er hatte keine Möglichkeit mehr, die Anstalt auf eigenen Wunsch zu verlassen. Im Herbst 1960 floh er aus dem Hospital, versteckte sich bei Freunden und beschloß, nach Mexiko auszuwandern. Über verschlüsselte Wege und Mittelsmänner führte er die Korrespondenz mit Anders weiter; beide hofften, daß sie sich demnächst treffen könnten, auch um zusammen ein Filmskript über das Leben Eatherlys zu schreiben, an dem eine große Produktionsfirma interessiert war. Im Dezember 1960 wurde Eatherly von einer Polizeistreife aufgegriffen, nachdem kurz zuvor eine Großfahndung ausgelöst worden war, und erneut in das Militärhospital – ohne Hoffnung auf Entlassung – eingewiesen. Anders bemühte sich, bekannte Persönlichkeiten in den USA für eine Entlassung Eatherlys zu gewinnen. 1961 schrieb er einen Offenen Brief an den amerikanischen Präsidenten John F. Kennedy, der in mehreren deutschen und amerikanischen Zeitungen veröffentlicht wurde. Zur selben Zeit verfolgte die Weltöffentlichkeit den Prozeß gegen Adolf Eichmann vor einem Jerusalemer Gericht, wo der Angeklagte mit der Begründung, als Rädchen im Getriebe nur Befehlen gehorcht zu haben, jede Schuld von sich wies. Für Anders ist Eatherly Eichmanns *großer und tröstlicher Antipode: Nicht der Mann, der die Maschinerie als Vorwand für Gewissenlosigkeit ausgibt, sondern umgekehrt der Mann, der die Maschinerie als die furchtbare Bedrohung des Gewissens durchschaut. Und damit trifft er wirklich ins Schwarze des moralischen Kardinalproblems von heute, damit gibt er uns wirklich die heute entscheidende Warnung: Denn wenn wir auf den Apparat hinweisen, in den wir ja nur als nichts wissende Schrauben eingefügt seien, und wenn wir den*

Claude Eatherly, 1945

Satz: ‹Wir haben ja nur mitgemacht› als unter allen Umständen rechtmäßig akzeptieren, dann schaffen wir damit die Freiheit der moralischen Entscheidung und die Freiheit des Gewissens ab... Es ist Ihnen wohl aus dem Tone dieser meiner Zeilen evident, Herr Präsident, daß mir nichts ferner liegt, als um Gnade für Eatherly zu bitten. Nicht nur der Akt der Begnadigung, sondern sogar schon die Bitte um Begnadigung würden ja implizite Zugeständnisse des Unrechts des zu Begnadigenden darstellen. Nun kann aber die Tatsache, daß Eatherly ein Gewissen hat, und daß er den Mut aufbringt, sich als schuldig an einem von anderen verschuldeten Verbre-

101

Claude Eatherly in den fünfziger Jahren

chen zu fühlen, nicht als Unrecht bezeichnet werden... Und es ist nicht nur bedauerlich, es müßte auch, so scheint mir, für stolze Amerikaner aufs tiefste beschämend sein, daß er zu Hause als Last oder Schande gilt...[185] Kennedy reagierte nicht; lediglich das Justizministerium ließ ein halbes Jahr später verlauten, daß es in der «Affäre Eatherly» nichts tun könne.

Der Briefwechsel zwischen Anders und Eatherly, in dem Buch *Off limits für das Gewissen* versammelt und in siebzehn Sprachen übersetzt –

es erschien in politisch so unterschiedlichen Ländern wie dem francistischen Spanien und der Sowjetunion, was für Anders ein weiterer Beleg dafür war, daß die Globalität der atomaren Bedrohung endlich erkannt wurde –, legt Zeugnis ab von einer Welt, in der Vernunft nichts mehr, die «ökonomische Notwendigkeit» alles gilt und in der jene ruhiggestellt werden, die versuchen, ihre Blindheit angesichts der drohenden Katastrophe zu überwinden. «Unter allen Teilnehmern an den beiden Atombombardements war Eatherly in diesen Nachkriegsmonaten der einzige, der der Versuchung widerstand, sich als Held feiern zu lassen. Und seine Mitbürger in dem Städtchen Van Alstyne hatten Verständnis dafür. Die Zurückhaltung des Fliegers wurde ihm nicht als Verrücktheit, nicht einmal als Sonderlichkeit ausgelegt... Es fehlte in dieser Periode weder an Schuldbeteuerungen noch an Selbstanklagen. Fast allgemein verlangte die öffentliche Meinung die sofortige Ächtung der nuklearen Kriegsinstrumente, ja es wurde von den verschiedensten politischen Tendenzen die Forderung vertreten, die USA sollten freiwillig auf ihr vermutlich ohnehin nur kurzfristig aufrecht zu erhaltendes Atom-Monopol verzichten...»[186], schrieb der Herausgeber Robert Jungk im Vorwort des Buchs über die anfänglichen Reaktionen auf Eatherlys Verhalten in den USA. Mit Beginn des Kalten Kriegs setzte der nukleare Rüstungswettlauf ein, und Menschen wie Eatherly mußten vor der Öffentlichkeit verborgen werden. Wer ihn verteidigte oder sich seiner annahm, galt als ein von Moskau bezahlter Stalinist. Der Abwurf der Atombombe auf Hiroshima wird nur zu gern als eine Kriegshandlung unter vielen heruntergespielt, selbst die Opfer zeigen sich, wie Anders nach seinem Besuch in Hiroshima konstatierte, unfähig zur Erinnerung, weil das Ereignis so unsagbar groß war, daß es sich dem Begreifen entzog. Anders spricht in diesem Zusammenhang von *überschwelligen Reizen*[187], denen sich der Mensch nicht mehr gewachsen zeigt. In einem Brief an Claude Eatherly: *Die übliche Methode, mit dem zu großen fertig zu werden, besteht in einem bloßen Unterschlagungsmanöver: darin, daß man genauso weiterlebt wie vorher; daß man das Geschehene von der Tischplatte des Lebens wischt, daß man die zu große Schuld als gar keine Schuld behandelt... Sie haben das jedenfalls nicht getan, Eatherly... Sie versuchen als der weiterzuleben, der es getan hat.*[188]

1962 gelang Eatherly erneut die Flucht aus dem Hospital. Obwohl die zuständigen Behörden von seinem Aufenthaltsort Kenntnis hatten, reagierten sie nicht. Im gleichen Jahr kam auch ein Treffen zwischen dem Piloten und Günther Anders in Mexico City zustande, wo ein Film über das Leben Eatherlys gedreht wurde. Hier gestand Eatherly, *nicht nur während seines Hinflugs, und nicht nur während seines Signalgebens, sondern auch noch in den Tagen danach... durchaus noch nicht be-*

Günther Anders, 1965

*griffen zu haben, in was er sich da eigentlich verstrickt hatte
... daß vielmehr der eigentliche Schreck, das Grauen, die Einsicht und die
Reue erst eingetreten wären, als er die ersten Photos der Stadtwüste und*

104

der im Wasser treibenden verkohlten Leichen zu sehen bekommen hätte.[189]
Die Veröffentlichung des Buchs, Anfang der sechziger Jahre, löste vor
allem in Amerika heftige Reaktionen aus. Obwohl Anders Eatherly eindeutig nicht als Auslösenden des Bombenabwurfs, sondern «nur» als Mitglied der Flugzeugbesatzung bekannt gemacht hatte, wurde ihm in der
Argumentation gegen seine Thesen eine Fälschung der wahren Position
Eatherlys unterstellt, woraus beispielsweise Friedrich Torberg im Wiener
«Forum» den Schluß zog, daß Eatherly in seiner Funktion als Pilot gar
nichts zu bereuen habe. Der amerikanische Schriftsteller William B.
Huie war zur gleichen Zeit mit einer Biographie Eatherlys beauftragt
worden. Er sprach Eatherly zwar nicht die Mittäterschaft ab, aber glaubte
seinen Interviews mit dem Piloten entnommen zu haben, daß dieser keinerlei Reue zeigte. Eine solche Schlußfolgerung bedeutete für Anders *die
nachträgliche Rechtfertigung für Hiroshima. Claude, so argumen-
tierte nämlich Huie, habe deshalb nicht bereut, weil er gar nichts
hätte bereuen können; und er hätte deshalb nichts bereuen
können, weil es nichts zu bereuen gegeben habe. Oder – auf die*

Pressekonferenz zur Eröffnung des Russell-Tribunals in Stockholm,
19. November 1967. Von links nach rechts: Günther Anders, Lelio Basso,
Jean-Paul Sartre, Vladimir Dedijer

Reihenfolge von Voraussetzung und Behauptung kommt es Huie nicht sonderlich an – Hiroshima sei deshalb allright gewesen, weil Claude ja garnicht bereut habe... Juristisch: *Wenn Huie mit seinem Argument, daß, da Claude nicht oder nichts bereut habe, nichts Bemerkens-, Tadelns- oder Bereuenswertes vorliegen könne, recht hätte, dann würde er damit eine, nein: die Revolution in der Rechtsgeschichte inaugurieren. Denn das Argument würde ja auch darauf hinauslaufen, daß man alle reuelosen Verbrecher deshalb freisprechen müßte, weil ihre Reue-, d.h. Gewissenlosigkeit ihre Unschuld beweise.*[190] Trotz der Angriffe auf sein Buch wurde Anders von zahlreichen bekannten Persönlichkeiten unterstützt. Bertrand Russell schrieb 1982 das Vorwort zur Neuauflage des Buchs.

Off limits für das Gewissen machte Anders einem größeren Leserkreis bekannt und verlieh seiner Stimme Gewicht. 1967 wurde er zusammen mit Jean-Paul Sartre, Peter Weiss, Isaac Deutscher, Simone de Beauvoir und anderen bekannten Persönlichkeiten als Juror des Russell-Tribunals in Stockholm berufen, das die Kriegsführung der USA gegen Vietnam untersuchte und mit einem Schuldspruch endete. Mit zahlreichen Artikeln, Interviews und Erklärungen hat Anders in den letzten Jahrzehnten auf aktuelle politische Ereignisse aufmerksam gemacht und seine philosophische Arbeit nahezu aufgegeben.

Tschernobyl

Als 1986 in der ukrainischen Stadt Tschernobyl ein Atomkraftwerk havarierte, unzählige Menschen kontaminiert wurden und das Gebiet in einem Umkreis von Hunderten Kilometern für Jahrhunderte unbewohnbar wurde, war das eine traurige Bestätigung für Günther Anders' Thesen über die Atomgefahr. Die unsichtbare radioaktive Wolke kannte keine Ländergrenzen; ihre konkreten Auswirkungen werden wir erst in einigen Jahren kennen. *Als ich 1958 den Teilnehmern des Antiatomkongresses in Tokio zu erklären versuchte, daß die Begriffe ‹Grenze› und ‹Souveränität› – da die Radioaktivität sich einen Dreck darum schert, ob sie sich über diesem oder jenem Staatsgebiet befindet – als ich also von der Begrenztheit des Grenzbegriffes sprach, da waren sie alle in ihrem Nationalstolz gekränkt. Diese Männer waren die Avantgardisten der Idiotie von heute.*[191] Zynisch wäre es jedoch, der Sowjetunion, einem armen Land, das keine ausreichenden Energieressourcen besitzt, mangelndes Umweltbewußtsein und Verantwortungslosigkeit vorzuwerfen.

Sechs Jahre nach Tschernobyl bestätigt sich auch Anders' These, nach

Das Atomkraftwerk Tschernobyl nach der Katastrophe vom 10. Mai 1986

der wir das Unfaßbare, das zu Große, schnell vergessen, weil es durch seine *Überschwelligkeit* unser Auffassungsvermögen übersteigt. Er hatte also recht behalten, aber es war ein trauriger Triumph. Plötzlich war seine Meinung gefragt, galt er doch als Fachmann in Fragen der atomaren Bedrohung. In zahlreichen Interviews hat er sich geäußert, und letztlich haben auch Tschernobyl und die daraus resultierenden Konsequenzen für unser Handeln, die Anders entwickelte, zu einer Radikalisierung seiner Vorschläge für die Praxis und zu der sogenannten Gewaltdebatte geführt.

Was Anders fordert, ist eine bewußte *Schizophrenie des Handelns ... selbst wenn es nur ein Minimum an Wahrscheinlichkeit oder an Möglichkeiten gibt, diese Entwicklung aufzuhalten, haben wir so zu handeln, als wenn die Wahrscheinlichkeit groß wäre*[192]. Dieses Handeln schließt, in einigen spektakulären Interviews gibt Anders das auch explizit bekannt, die Anwendung von Gewalt nicht aus: Gewalt gegen diejenigen, die bewußt die Zerstörung menschlichen Lebens durch die sich verselbständigende Technik in Kauf nehmen und unterstützen. *Kernkraftwerke sind – wie Tschernobyl nun aufs furchtbarste und endgültig bewiesen hat – Anlagen, die, auch wenn sie nicht, wie Bomben oder Raketen, den Tod von Tausenden bezwecken, diesen doch in Kauf nehmen... Die Gleichsetzung von Atomwaffen und Atomkraftwerken ist*

Aufgegebene Wohnhäuser in Pripjat, 18 Kilometer vom Atomkraftwerk Tschernobyl entfernt

legitim, der Ausdruck ‹friedliche Nutzung der Kernenergie› ist eine Lüge... Wir sind die Angegriffenen, die Menschheit als Ganze ist angegriffen und hat sich zu verteidigen.[193]

Die größte Erkenntnisleistung wird darin bestehen, sich die Auswirkungen eines GAUs dauerhaft vorzustellen, denn wir sind nur an die kurzfristige Verarbeitung von Katastrophen gewöhnt. *Die zeitliche Begrenztheit von Katastrophen ist nun vorüber – wir haben Tausende von Jahren vor uns, in denen eine Atomkatastrophe wirksam bleibt. Und das übersteigt die Vorstellungskraft und Emotionskraft des Menschen.*[194] Die Forderung, die Anders an den heutigen Menschen stellt, ist nicht nur die fast unmöglich erscheinende Erweiterung seiner Vorstellungskraft, sondern auch, um den Zustand der Welt zu erhalten, konservativ im ursprünglichen Sinne des Wortes zu sein, *denn worauf es heutzutage ankommt, ist ja erst einmal, die Welt zu erhalten, ganz gleich, wie sie ist... Es gibt den berühmten Ausspruch von Marx: «Die Philosophen haben die Welt nur verschieden interpretiert, es kommt darauf an, sie zu verändern.» Aber das reicht nicht mehr... erst einmal müssen wir in einem echten Sinne konservativ sein, in einem Sinne konservativ, wie kein sich konservativ nennender Mann es zugeben würde.*[195]

Ausgelöst wurde die Gewaltdebatte durch ein Interview in dem Ökolo-

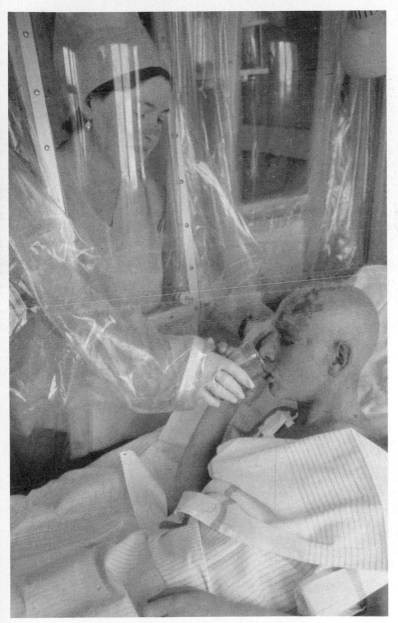

Tschernobyl-Opfer in der Moskauer Strahlenklinik Nummer 6

Günther Anders im Gespräch mit Manfred Bissinger, 1986

gie-Magazin «natur» mit dem Herausgeber Manfred Bissinger und durch Günther Anders' Thesen *Notstand und Notwehr*. Beides rief empörte und überwiegend ablehnende Reaktionen hervor, die sich in zahlreichen Leserbriefen prominenter Persönlichkeiten von Petra Kelly bis Heinrich Albertz äußerten und in dem Buch *Gewalt ja oder nein* dokumentiert wurden. Mit seinen Thesen hatte sich Günther Anders, eines der Lieblingskinder des deutschen Feuilletons, dessen Geburtstag an exponierter Stelle in den Zeitungen regelmäßig gefeiert wurde, die Sympathien einer breiten Öffentlichkeit verscherzt. Sich wie Anders über das Thema Gewalt auch nur spekulativ zu äußern scheint an einem Tabu zu rühren; und dessen Verletzung rief dann auch die ungewohnt scharfen Reaktionen hervor. Es gab nur wenige, die bereit waren, zu erkennen, daß Anders' Aufforderung der Beginn einer notwendigen Diskussion sein könnte. Auffallend ist die nahezu einmütige Ablehnung der Prominenten, die Günther Anders' Thesen im besten Fall als altersbedingte Verwirrtheit deuteten oder davor warnten, daß Jugendliche seine Überlegungen als Handlungsanweisung mißverstehen könnten. Was hatten sie ihm vorzuwerfen?

Ausgehend von der Geschwindigkeit, mit der die Menschen schon ein halbes Jahr später (das Interview fand im Dezember 1986 statt) den GAU verdrängt hatten, und ausgehend von seinem Diktum, sich Tschernobyl dauerhaft und überall vorzustellen, beantwortete Anders die Frage des Interviewers, wie man sich denn «Gehör verschaffen» solle: *Obwohl ich sehr häufig als Pazifist angesehen werde, bin ich inzwischen zu der Überzeugung gekommen, daß mit Gewaltlosigkeit nichts mehr zu erreichen ist. Verzicht auf Tun reicht nicht als Tun ... Wir sind – das kann wohl niemand bestreiten – wirklich in einem Zustand, der juristisch als ‹Notstand› bezeichnet werden kann. Nein, muß. Millionen von Menschen, alles Leben auf der Erde, das heißt also auch künftiges Leben, sind tödlich bedroht. Nicht von Leuten, die direkt Menschen umzubringen wünschen, sondern die das Risiko in Kauf nehmen; und die nur taktisch und faktisch denken können ... Jedenfalls halte ich es für erforderlich, daß wir diejenigen, die die Macht innehaben und uns (ein millionenfaches ‹Uns›) bedrohen, einschüchtern ...*[196]

Ignorant waren die Reaktionen auf Anders' Thesen insofern, weil sie einem Autor Leichtfertigkeit im Umgang mit der Gewalt vorwarfen, der seit über 40 Jahren auf das Ausmaß einer Atomkatastrophe aufmerksam zu machen versucht und der wie kein anderer erkannt hat, welche Bedrohung allein von der Existenz der «Idee» der Bombe ausgeht. Anders intendiert einen Zustand der Gewaltlosigkeit, und er ist sich durchaus des moralischen Dilemmas bewußt, das entsteht, wenn man einerseits für gewaltfreie Verhältnisse eintritt und andererseits feststellt, daß die momentanen Gewaltverhältnisse, die durch die Drohung der Atombombe ihren vorläufigen Höhepunkt und vielleicht auch Endpunkt erreicht haben, durch einen friedlichen Protest nicht zu verändern sind. Ausdrücklich hat er immer wieder betont, daß unsere heutige Gesellschaft – wie alle anderen vor ihr – auf Gewaltverhältnissen beruht, die in verschleierter Form auftreten und deshalb von den wenigsten wahrgenommen und analysiert werden. *Gewalt ist so lange nicht nur erlaubt, sondern gilt als moralisch legitimiert, als sie von der anerkannten Macht gebraucht wird. Macht selbst beruht ja stets auf der Möglichkeit der Gewaltausübung. Für jedermann war es ja 1939 selbstverständlich gewesen, mit in den Krieg zu ziehen und ‹mitgewalttätig› zu werden; wenn man da ‹mit war›, hat man ja sogar, wie ein gewisser Präsident so gerne betont, ‹nur seine Pflicht getan›. Auf Befehl der Macht darf man nicht nur gewalttätig sein, man soll und muß das sogar.*

Uns Heutigen dagegen, die wir nichts anderes im Auge haben als die schließliche Verhinderung jeder Gewalt – uns wird vorgeworfen, daß wir an Gewaltausübung auch nur denken ...[197]

Es hat immer wieder historische Situationen gegeben, in denen die Anwendung von Gewalt auf seiten des Widerstands in einem totalitären System nachträglich legitimiert und gutgeheißen wurde. Man denke an den Widerstand des 20. Juli 1944, an den alljährlich mit Gedenkfeiern erinnert wird. Anders hat einmal gesagt, daß das einzige, was er in seinem

Die Verleihung des Theodor W. Adorno-Preises der Stadt Frankfurt am Main an Günther Anders, 11. September 1983. Anders, durch Krankheit verhindert, wandte sich in einer Fernsehaufzeichnung an die Festversammlung

Leben bereue, die Unterlassung sei, Hitler, trotz der Erkenntnis über die von ihm ausgehende Gefahr, nicht umgebracht zu haben.[199] Das war keineswegs als Bonmot gedacht, sondern resultiert aus der Erkenntnis über die Unfähigkeit der Intellektuellen, 1933 die katastrophalen Folgen von Hitlers Machtübernahme zu erkennen. Geht man von Anders' Prämisse einer globalen Bedrohung aus, so sollte zumindest das Nachdenken über Widerstandsformen und deren Effektivität nicht gleich mit einem Tabu belegt werden. Ausgehend von seiner jahrelangen Beobachtung des Scheiterns eines gewaltfreien Protests, der die Verantwortlichen selten dazu veranlaßte, ihr Tun auch nur im Geringsten zu überdenken, hat Anders versucht, mit seinen Thesen über Notstand und Notwehr eine

Diskussion in Gang zu setzen und damit den wunden Punkt der Machtverhältnisse des Staates und dessen Unnachgiebigkeit berührt.

1983 war ihm noch der Adorno-Preis der Stadt Frankfurt verliehen worden; an den Feierlichkeiten konnte er wegen einer Krankheit nur mittels eines Videos, auf dem seine Dankesrede aufgezeichnet war, teilnehmen. So blieb ihm erspart, daß ihn der damalige Frankfurter Oberbürgermeister in seiner Laudatio mit «Günther Grass» anredete, was, wie Anders später in einem Brief an Walter Wallmann schrieb, eine *Achtungslosigkeit* war, *wie ich sie nie zuvor erfahren habe; dazu kommt, daß Ihre Ansprache, die ich natürlich erst post festum kennengelernt habe, entweder Unkenntnis der Pointe meines Philosophierens oder Unverständnis dieser bezeugt. Schon vor Monaten habe ich in einem Interview für ein Frankfurter Blatt gesagt... daß Ihre Bemerkungen über meine Philosophie noch nicht einmal falsch seien, weil sie nichts Identifizierbares aussagten.*[199]

Die Ignorierung von Anders' Werk in den wissenschaftlichen Disziplinen mag darin begründet sein, daß er sich keiner Schule zuordnen läßt. Die Ignoranz durch die Öffentlichkeit und Presse hat andere Ursachen. Gabriele Althaus, die eine Habilitationsschrift über Anders veröffentlichte, vermutet, daß sich die Reaktion auf den Philosophen in der Öffentlichkeit auf die rhetorische Figur «Der Irrtum in Günther Anders' Wahrheiten» reduzieren läßt, eine Abwehrhaltung, die sich in Plädoyers gegen ihn verdichte. «Dem entspricht denn auch, durchaus folgerichtig und nicht weniger auffällig, daß der explizite Vorwurf von Einäugigkeit, notorischer Schwarzseherei und unverantwortlicher Panikmache oder die latente Abwehr seiner oft apodiktischen Sätze – das läßt sich über die Jahre verfolgen – immer nur für die jeweils neueste Veröffentlichung und die darin enthaltenen Zuspitzungen gelten, während die ‹Irrtümer› von gestern sich unter der Hand in Wahrheiten von heute verwandelt haben, die nun ihrerseits den Boden auch der Kritik an Günther Anders liefern.»[200] Es bleibt abzuwarten, wie sich die Presse in ein paar Jahren über Günther Anders' Thesen zur Gewalt äußert.

Auschwitz und Hiroshima

Angesichts der weitreichenden Verdrängung des Nationalsozialismus in Deutschland und Österreich verwundert es nicht, wenn den ehemals Verfolgten, wie Günther Anders, die schmerzhafte Erinnerungsarbeit überlassen bleibt, der quälende Gedanke, welchem Zufall sie es zu verdanken haben, nicht in den Leichenbergen von Auschwitz geendet zu sein. *Selbst nachträglich verwüstet Hitler noch unser Leben. Und selbst diejenigen Teile unseres Lebens, die wir seit Jahren für unser Eigentum gehalten haben.*[201]

Das Singuläre von Auschwitz, das Adorno zu der oft als Postulat mißverstandenen Aussage veranlaßte: «Gelähmt ist die Fähigkeit zur Metaphysik, weil, was geschah, dem spektakulären metaphysischen Gedanken die Basis seiner Vereinbarkeit mit der Erfahrung zerschlug»[202], löste bei Anders die Erkenntnis aus, *daß der Mensch im Zeitalter der Massenindustrie nun auch Leichen in Millionen industriell herstellte*[203]. Damit ist keinesfalls – hier ist Anders oft mißverstanden worden – ein Freispruch der Täter intendiert, was letztlich auch die Tagebuchaufzeichnungen aus den Wiener Nachkriegsjahren überzeugend widerlegen. Aber gerade wegen dieses Mißverständnisses, nach dem einerseits – so unterstellt man Anders – Auschwitz ausschließlich mit der Antiquiertheit des Menschen, der mehr herstellen als vorstellen könne, hinreichend erklärt sei, und aus dem andererseits das Vorurteil resultiert, er würde Auschwitz mit Hiroshima auf dieselbe erkenntnistheoretische Ebene stellen, ist es notwendig, seine Positionen genauer zu untersuchen.

Die Gründe für die Verfolgung und Ermordung der Juden im Nationalsozialismus leitet Anders aus einer marxistischen Position ab und will deshalb die Unterscheidung zwischen rassisch und politisch Verfolgten nicht gelten lassen. Zwar hätten sich Millionen von jüdischen Ermordeten und Flüchtlingen vor der Machtübernahme nicht mit Politik befaßt, aber *die Politik hat sich eben für sie interessiert*[204]. *Es war ein politisches*

Verbrennungsofen
im KZ Auschwitz,
1945

Prinzip der nationalsozialistischen Führer, jede Spur von Klassenbewußt-
sein zu vertilgen. Das taten sie, und zwar entsetzlich erfolgreich, dadurch,
daß sie den Millionen von Elenden ... den arbeitslosen Proletariern und
den proletarisierten Kleinbürgern, eine Menschengruppe schenkten, der
sie sich ... als überlegen empfinden durften, nein sollten ... Da man den
Elenden das den Juden versagte Etikett «Arier» zugestand, machte man sie
ja geradezu zu Adligen ... Hitler hätte uns erfunden, wenn es uns nicht
gegeben hätte. So war sein Antisemitismus nicht ein Attribut des National-
sozialismus unter anderen, sondern das Mittel, um den Kampf gegen
Klassenbewußtsein und Klassenkampf zu gewinnen. Und vor dieser Ver-
wendung, die schließlich in der Liquidierung kulminierte, hatten wir Ju-
den zu fliehen. Und darum waren wir alle politische Flüchtlinge.[205] Die
«vollendete Sinnlosigkeit»[206] von Auschwitz ist mit diesen marxistischen
Kategorien nicht mehr zu fassen. Denn die Vernichtung der Juden ergab
noch nicht einmal einen – so zynisch das klingen mag – ökonomischen
Sinn. Ganz im Gegenteil, die Durchführung der Vernichtung behinderte
den Krieg an der Front, die Insassen der Konzentrationslager waren nur
in zweiter Linie als Arbeitskräfte relevant, und das Reich mußte während des Kriegs Zwangsarbeiter ins Land holen, um die Rüstungspro-
duktion in Gang zu halten. *Keine noch so sehr ins Detail gehende*
Darstellung des Wie macht das Warum, oder richtiger: das Wozu, ver-
ständlich. Was also bezweckten sie mit der Ausrottung der Ju-
den? Antwort: Die Ausrottung der Juden. Diese waren kein
Mittel sondern Zweck.[207]

Die Juden waren für die Nationalsozialisten und später auch für einen
großen Teil der Bevölkerung die Verkörperung alles Negativen, ein
Teufelsersatz[208], mit dem sie sich antipodisch in einen gottähnlichen Zustand versetzen konnte. Die *Ontologisierung des Guten und Bösen*[209] ist
für Anders eine unabdingbare Voraussetzung für eine Diktatur. Ontologisierung bedeutet die Negation von erworbenen Charaktereigenschaf-
ten, indem sie als etwas «Seiendes», Unveränderbares dargestellt werden.
Gut oder Böse bestimmt den Seinsrang, und der Paria ist nicht wegen
seines Handelns oder seiner politischen Anschauung ein Paria, sondern
qua definitionem, ähnlich wie der Adlige im Feudalismus von Geburt an
seiner Klasse zugehörte. *An diesen Adelsbegriff hat nun Hitler, die*
Moralbegriffe der Bourgeoisie überspringend, wieder ange-
knüpft... 99 % der Bevölkerung redete er ein, daß sie eine Elite, nein die
Elite darstellte... Ihre Nobilität und ihr Selbstbewußtsein basierten also auf
der Tatsache, daß sie nicht Juden waren.[210] In der Konsequenz heißt das:
Wenn ein Seiendes (der Arier) von Natur aus und unwiderruflich das Gute
verkörpert, und eine anderes Seiendes (der Jude) gleichfalls von Natur aus
und unwiderruflicherweise das Böse, dann ist kein Platz mehr gelassen

*für Freiheit (der Wahl zwischen Gut und Böse)... ebenso unwiderrufli-
cherweise ist dann kein Raum mehr übrig für das ‹Sollen›, das nun gewissermaßen zwischen Sein und Müssen zerquetscht wird.*[211]

Als der Film «Holocaust» 1978 im deutschsprachigen Raum ausge-
strahlt wurde, skizzierte Anders Eindrücke und Überlegungen in seinem
Tagebuch, das 1979 zusammen mit seinen Notizen aus *Auschwitz und
Breslau 1966* veröffentlicht wurde. Im Vorwort einer Neuausgabe der
Antiquiertheit des Menschen I hatte er eingeräumt, daß er wegen der Be-
richterstattung des amerikanischen Fernsehens über den Kriegsschauplatz Vietnam und wegen des «Holocaust»-Films seine Analyse über
Rundfunk und Fernsehen zum Teil revidieren müsse. Denn diese Beispiele hätten gezeigt, daß das Fernsehen eine aufklärerische Funktion erfüllen könne. Dem «Holocaust»-Film gesteht er eine eminent wichtige Bedeutung zu, weil er an Hand des Schicksals einer Familie die Verfolgung
und Ermordung der Juden im Dritten Reich für den Zuschauer transparent mache. Die Gründe sind einleuchtend: *Denn Millionen Ermordete
nicht betrauern zu können, ist nicht ein Manko der Deutschen, dessen ist in
der Tat niemand fähig. Freilich bedeutet dieses Zugeständnis nicht, daß
man sich bei dieser Unfähigkeit beruhigen dürfe. Mindestens darüber, daß
man angemessenes Trauern nicht leisten könne, über diese Unfähigkeit
sollte man trauern.*[212]

Nach dem Sieg der Alliierten 1945 verstellten die Bilder über die be-
freiten Konzentrationslager den Blick für das, was geschehen war, weil
sie *zuviele Leichen zeigten und das Grauen vor dem Tode, auch
vor dem Morde, mit der zunehmenden Zahl der abgebildeten
Leichname abnimmt; und deshalb nicht, weil man auf den Bildern
immer nur die Ergebnisse der Verbrechen, also die Leichenberge,
gezeigt hatte*[213]. Anders wendet sich damit gegen eine Argumentation,
nach der die Deutschen mit ihrer Vergangenheit nicht fertig würden und
ihre primäre Aufgabe darin bestehen müsse, diese Vergangenheit zu bewältigen. Ein Bewußtsein über die Taten der Vergangenheit würde voraussetzen, daß *eine Wunde geschlagen*[214] worden und ein Trauma entstanden sei, das anschließend verdrängt wurde und in einer dritten Phase
– als Desiderat – «bewältigt» werden müßte. Diese Hypothese *trifft deshalb nicht zu, weil die meisten eine Aufhebung der Verdrängung nicht benötigen, und diese benötigen sie deshalb nicht, weil sie nichts verdrängt
hatten; und verdrängt hatten sie deshalb nichts, weil ihre Erfahrungen... gar
nicht traumatisch gewesen oder geworden waren. Tatsächlich ist der Ausdruck ‹Vergangenheitsbewältigung› Geschwätz...*[215] Das Ausbleiben des
Traumas hat für Anders verschiedene Ursachen: Der einzelne hat bei den
Taten «nur» mit-getan, sie waren kein bewußter Akt, sondern «Arbeit»,
und diese ‹Mit-Taten› – die Selbstverständlichkeit, mit der ein Soldat im

Krieg tötet, beweist das – spielen im Gewissenshaushalt des Einzelnen tatsächlich keine Rolle[216]. Die Größenordnung des Verbrechens übersteigt das seelische Auffassungsvermögen, und der Sprache kommt eine wichtige Bedeutung zu: Nur das kann erinnert werden, was sich einer sprachlichen Umsetzung nicht entzieht. *Eindrücke, die man nicht ausdrücken kann, bleiben nichts als Eindrücke. Adornos Wort über die Unmöglichkeit, nach Auschwitz zu dichten, ist wahrer, als er es selbst geahnt hat. Niemand wird je behaupten, daß unsere Sprache ausreiche, um Auschwitz in Worte zu fassen.*[217]

Die Täter des Holocaust, in den sechziger Jahren vor Gericht gestellt, wie Eichmann oder Franz Novak, der für die Eisenbahntransporte in die Vernichtungslager verantwortlich war, zeigten keinerlei Reue. Sie waren der Typus des Angestellten, wie ihn Hannah Arendt in ihrem Buch «Eichmann in Jerusalem» treffend charakterisiert hat. Man kann davon ausgehen, obwohl keine Stellungnahme zu ihrem umstrittenen Buch in Günther Anders' Schriften zu finden ist, daß er mit ihrer Definition des Tätertypus der NS-Zeit übereinstimmt.

Die Täter haben ihre ungeheuerlichen Taten nicht als ihre eigenen gesehen, zwischen ihnen und dem Geschehen bestand eine Distanz. Und

Leichen von Häftlingen auf dem Gelände des KZ Bergen-Belsen. Das Bild wurde nach der Befreiung des Lagers durch alliierte Truppen aufgenommen

die Voraussetzung für Reue ist zunächst einmal die Identifikation mit dem Verbrechen. Statt dessen begriffen sie die Ermordung von Millionen als ihre Pflicht, als einen Befehl, dem sie gefolgt waren, nicht *als sie selbst, sondern ‹in ihrer Eigenschaft als...›*[218]. Auch handelte es sich nicht um einzelne Taten, die als Kapitalverbrechen vor Gericht hätten verhandelt werden können, sondern um ein *Kontinuum*, der das Leben und den Alltag von vielen ausmachte. Diese Vernetzung des Vernichtungsapparats, die Tatsache, daß er von vielen getragen wurde, die sich gegenseitig legitimierten, und die Unmittelbarkeit der Taten (wie zum Beispiel die Herstellung und Lieferung von Zyklon-B an die Vernichtungslager) haben jegliches Unrechtsbewußtsein ausgeschaltet. Schuld war für die Täter also höchstens «Mitschuld». *Die Untaten, um die es sich handelte, waren für die Erinnerung nicht so direkt erreichbar, wie es private Verbrechen sind, die man im Rückblick sofort in den Griff bekommen und dann zum Gegenstand der Reue machen kann. Nicht grundlos spricht Mitscherlich von der Trauerarbeit, deren wir unfähig seien. Unrecht hat er natürlich nicht, aber vielleicht betont er noch nicht ausdrücklich genug, daß die Forderung, eine solche Arbeit zu leisten, etwas vollkommen Neues ist.*[219] Nach dem Krieg war es dann für die Bewohner Deutschlands nur konsequent, geschichtslos in der konkreten Gegenwart zu leben und durch den raschen Wiederaufbau ihre Erinnerung zu löschen.

Anders betont zwar, *daß die Feindschaft gegen die Juden... ein Ersatzeffekt für die Feindschaft gegen den Kapitalismus*[220] war, damit sind aber der Antisemitismus und seine tödlichen Konsequenzen noch nicht erklärt. Auch räumt er selbst ein, daß beispielsweise Trotzki als Feindbild in Karikaturen mit eindeutig jüdischer Physiognomie dargestellt wurde, der Antisemitismus in einem realsozialistischen Land also virulent sein kann. *Alle, die gehaßt werden sollten, wurden also – was ungeheuer praktisch war – in dem einen ‹negativen Götzen› zusammengeschmolzen. Und diesen zu hassen, war nicht nur erlaubt, sondern Pflicht, nein: Zwang, damit kein Körnchen Haß auf den wirklich Hassenswürdigen übrigblieb.*[221]

Die Vernichtungsinstallationen als Ausdruck der alles und alle beherrschenden Technik, wo der Mensch, begraben unter der Omnipräsenz der Geräte, nichts mehr ist, macht Anders in einem Gespräch deutlich, das er nach einem Besuch in Auschwitz in seinem Tagebuch aufzeichnete:

‹Und dabei haben wir doch keinen einzigen Toten gesehen›, flüsterte sie.
‹Eben›, flüsterte ich zurück, ‹So tot sind sie.›
‹Wie meinst du das?›
‹Daß ja sogar noch Tote irgendwie noch da sind. Aber was wir gesehen haben, ist bloß ihr Nichtdasein. Freilich in der Form von Dingen, die noch

da sind. In Form ihrer Koffer, ihrer Berge von Koffern, ihrer Brillen, ihrer Berge von Brillen, ihrer Haare, ihrer Berge von Haaren, ihrer Schuhe, ihrer Berge von Schuhen. Gesehen haben wir also, daß unsere Dinge, wenn sie noch verwendet werden können, begnadigt werden, wir dagegen nicht. Und das gesehen zu haben, ist sehr viel schlimmer, als wenn du die Leichname gesehen hättest.›[222]

Für Anders ist Auschwitz moralisch ungleich entsetzlicher als Hiroshima. Als er seine Untersuchungen zu «Holocaust» überarbeitete, erkannte er, *daß ich an Auschwitz mit dem Vorurteil herangegangen bin, daß, was für eine Form des Massenmordes gelte, auch auf die andere zutreffe. Das ist aber falsch. Neben den Tätern von Auschwitz – und deren hat es ja abertausende gegeben – waren die Japanpiloten Engel gewesen. Ob das ein ‹Fortschritt› gewesen ist, ist eine andere Frage.*[223] Die moralische Differenz zwischen Hiroshima und Auschwitz muß also an den Tätern untersucht werden, die Auswirkungen an der Tat selbst. Der Abwurf der Bombe ist ein Verbrechen ohne Tatort, und diese *Schizotopie*[224] entscheidet heute über Moral und Unmoral. *Gleichviel, die zwei Air Force-Piloten, die die Bombe über den zwei Unglücksstätten fallen ließen, haben die Hunderttausende ihrer Opfer nicht nur nicht Jahre und Tage lang erniedrigt und gefoltert, wie es Usus in Auschwitz war, sondern noch nicht einmal gesehen, nein: noch nicht einmal vorgestellt. Und wenn ich sage: ihre Finger seien tadellos sauber geblieben, so meine ich nicht: so sauber wie die Fingernägel von Eichmann und Konsorten: denn sie, die Piloten, hatten ja niemals einen Plan für den Massenmord ausgearbeitet.*[225] Da deren Verbrechen nicht – wie in einem Vernichtungslager – auf einen Tatort konzentriert waren, konnten sie keine Sadisten werden oder das Morden als tägliche Arbeit begreifen. *Was über Hiroshima und Nagasaki geschah, war Massenmord ohne Mörder und vollzog sich ohne jede Bosheit.*[226] Die moralische Grenze zwischen den Auschwitz-Mördern und den Hiroshima-Piloten kann für Anders also nicht deutlich genug gezogen werden. Der Hiroshima-Pilot Eatherly verkörpert die *Unschuld des Bösen*, der Schreibtischtäter Eichmann – in Übereinstimmung mit Hannah Arendt – die *Banalität des Bösen* und der Sadist im Konzentrationslager die *Bosheit des wirklich Bösen*[227], unfähig zu erkennen, was an seinen täglichen Quälereien Unrecht sein sollte, *weil sich das Böse nicht mehr, wie gewöhnlich, von der Folie einer moralisch indifferenten Alltagswelt abhob, sondern selbst zur Welt geworden war (‹Le monde concentrationnaire›), zum selbst Normalen und Alltäglichen, von dem sich höchstens die (in unserem Sinne alltäglichen) nicht niederträchtigen... Worte und Taten abgehoben hätten. Die zwei Wörter ‹gute Nacht› aus dem Munde eines SS-Mannes wären in der Hölle von Auschwitz eine Ungeheuerlichkeit gewesen.*[228] Das nationalsozialistische Lagersystem hat deshalb reibungslos funktioniert, weil auch den Insassen die Gelegenheit geboten wurde, Druck auf andere auszuüben, nach dem molussischen Sprichwort: *Wünschst du einen loyalen Knecht, dann schenk ihm einen Sklaven – das macht ihn vergessen, daß er ein Knecht ist.*[229]

Von seiner Wirkung her – vor allem im Hinblick auf die Zukunft – war der Abwurf der ersten Atombombe ungleich bedeutsamer, denn jeder weitere potentielle Abwurf kann die ganze Menschheit vernichten: *Wenn ein Mensch im Bruchteil einer Sekunde zweihunderttausend Mitmenschen (heute Millionen) auslöschen kann, so sind daneben die paar Tausend SS-Männer, die nur peu à peu Millionen umbringen können (man entschuldige das Wort) harmlos...Während die atomaren Waffen im wörtlichsten Sinne ‹apokalyptisch› sind, waren oder sind die Lager ‹apokalyptisch› nur im metaphorischen Sinne.*[230] Auschwitz als «veraltete» Vernichtungsinstallation – hier vermag man Anders nicht mehr zu folgen. Denn das Entscheidende an Auschwitz ist die Frage, wie dieses perfekt eingerichtete System funktionieren und von so vielen Mitläufern unterstützt werden konnte. Das Grauenhafte an Auschwitz war neben der fabrikmäßigen Tötung und der Herabsetzung von Menschen zu Material, dessen Reste noch verwertet wurden – auch darauf hat Anders hingewiesen –, der Alltag, in dem das Töten zur Normalität wurde, und der fehlende Widerstand innerhalb der Bevölkerung gegen die Errichtung der Lager.

1963 schrieb Anders einen Offenen Brief an Klaus Eichmann, den Sohn von Adolf Eichmann, der kurz zuvor von einem Jerusalemer Gericht wegen seiner Verantwortung für die Deportation von Millionen Juden zum Tode verurteilt worden war. Der Brief erschien 1964 unter dem Titel *Wir Eichmannsöhne*, obwohl – wie Anders im Postscriptum des Buchs vermerkt – Klaus Eichmann in einem Interview das Urteil als Beweis für die Macht des jüdischen Geldes ausgelegt hatte. Ob diese Bemerkung tatsächlich von ihm stammte, war für Anders unerheblich und kein Hindernis, den Brief zu veröffentlichen. Für ihn ist Adolf Eichmann das Paradigma unserer Epoche, in der die Technik zum Subjekt der Geschichte geworden ist, womit er aber keine Entlastung des Täters intendiert; *genausowenig wie das Zugeständnis des Geschlechtstriebs die Ehrenrettung eines Lustmörders darstellt, genausowenig stellt das Zugeständnis unserer heutigen Weltlage eine Absolution derer dar, die den Versuchungen erlegen sind, oder gar derer, die die in ihr enthaltenen Infamie-Chancen mit beiden Händen ergriffen haben*[231].

Denn Eichmann ist nicht das Opfer einer entfremdeten Technik, weil er sich das Ergebnis seines Tuns sehr wohl vorstellen konnte und erheb-

Adolf Eichmann vor Gericht in Jerusalem, 20. Juni 1961

lich zur Verwirklichung und Planung der Vernichtungslager beigetragen hatte.

In die Debatte um die Nazi-Vergangenheit des österreichischen Staatspräsidenten Kurt Waldheim hat sich Anders mit dem imaginären Interview *Das fürchterliche Nur* eingeschaltet. Auch Waldheim hatte zu seiner Verantwortung vorgebracht, daß er nur seine Pflicht getan habe. *Dieses ‹Nur› ist das fürchterlichste Nur, das denkbar ist. Wenn man, wie Dr. Waldheim, das Unglück hat, von einem kriminellen Regime benutzt oder mißbraucht zu werden, dann hätte, wenn überhaupt, die Pflicht natürlich umgekehrt darin bestanden, die sogenannten «Pflichten» so wenig wie möglich zu erfüllen, ungehorsam zu sein, Nein zu sagen oder zu tun. Kein Job wird dadurch, daß man ihn gewissenhaft ausfüllt, ein moralischer Job, bei dem man ein gutes Gewissen haben dürfte... Mindestens nachträglich hätte man einzusehen, was man dadurch mitgemacht hat.*[232] Als *Antisemitismus-Arbeitgeber*[233] ließe Waldheim nun andere für sich sprechen, die die Kampagne gegen den Präsidenten als «jüdische Weltverschwörung» interpretierten. Waldheim selbst gefiel sich in Phrasen über seine Toleranz gegenüber den Juden als religiöse Minorität, ein Affront gegen Menschen wie Anders, der sich als Agnostiker begreift. Darüber hinaus ist Anders der Toleranzbegriff suspekt, denn Toleranz sei nichts anderes als eine *Variante der schulterklopfenden Leutseligkeit*[234], die immer nur von oben nach unten verläuft, und sie ist *mithin das Gegenteil von Demokratie*[235]. Wegen seiner Weigerung, Waldheim als Repräsentanten des österreichischen Staates anzuerkennen, verbat sich Anders 1986 eine von der Landesregierung initiierte Tagung über sein philosophisches Werk.

Nichts ist dringlicher als die Ausbildung einer moralischen Phantasie, die es ermöglicht, das Unvorstellbare vorstellbar zu machen, denn Anders schließt – so schreibt er in seinem Eichmann-Brief – eine Wiederholung von Auschwitz nicht aus. Es ist Anders oft zum Vorwurf gemacht worden, daß er Auschwitz «nur» als eine Vorstufe zu Hiroshima begreife und daß der Abwurf der Atombombe 1945 und die technologische Entwicklung die Erinnerung an Auschwitz überdecke. Wenn man aber seine Schriften zu diesem Themenkomplex untersucht, so wird man feststellen, daß zwischen den beiden monströsen Ereignissen durch die Klammer der Technikkritik ein Zusammenhang besteht, der meines Wissens bisher von keinem Historiker oder Philosophen aufgenommen wurde und der das Singuläre von Auschwitz keineswegs verschweigt. Dennoch ist nicht zu verkennen, daß für Anders Hiroshima der Beginn einer neuen Zeitrechnung bedeutet, nach der es keine mehr geben wird. Moralische Kategorien können die Bedrohung durch die Atombombe nicht mehr fassen. Auschwitz war die Eliminierung jeder Moral, der Abwurf der Bombe auf Hiroshima kannte sie schon nicht mehr. Insofern kann man mit Anders eine konsequente Fortentwicklung der Zerstörung menschlicher Moral einklagen, die einmal als Postulat der Aufklärung angetreten war.

Auschwitz bedeutet für Anders das Ende jeder Religion und des Glaubens an einen gütigen Gott, wie er immer wieder in seinem Buch *Ketze-*

Günther Anders

reien betont. *Was dieser Gott ... nicht verhindert hat ... das spielt, wenn ich recht sehe, für Gläubige überhaupt keine Rolle. Wie unbegreiflich es auch scheinen mag, es kann keine Rede davon sein, daß diese «Zulassungen» je als Argument gegen die Existenz, auch nur gegen die Güte oder das Erbarmen Gottes irgendwo aufgetaucht seien, geschweige denn, daß sie Millionen zu Ungläubigen gemacht hätten. Wiederholt hat man es bewundert, daß die nackt und frierend, wie er sie angeblich gemacht hat, in die Gaskammern einziehenden Juden auf diesem ihrem letzten Gang ihren Gott singend gepriesen haben. Als Verschonter, der ich bin, darf ich es nicht wagen, Kritisches dazu auch nur zu denken. Aber unbegreiflich ist es mir doch, daß keiner dieser Singenden Gott das Entsetzliche, das er zuließ, je aufgerechnet hat. Offenbar gibt es nichts, was sich Gott, was sich ein Gott, nicht «ungestraft» herausnehmen darf.*[236]

Mensch ohne Welt

Günther Anders hat sich neben seinen literarischen Arbeiten, die in dieser Monographie nur gestreift werden konnten, immer wieder mit Kunst und Literatur befaßt. Sein kulturtheoretisches Werk ist von seinem Engagement gegen den drohenden Weltverlust nicht zu trennen. Nach dem Abwurf der Atombombe auf Hiroshima am 6. August 1945 hat sich sein ursprüngliches Hauptthema *Mensch ohne Welt* in *Welt ohne Mensch*[237] umgekehrt. Trotz dieser Inversion und der daraus resultierenden Pointierung seiner Thesen, die eine Erweiterung der Phantasie einfordern, um einen Planeten ohne Menschen vorzustellen, lohnt der Blick in die literaturkritischen Schriften von Anders: Gemeinsam ist der von ihm im Laufe der Jahrzehnte untersuchten Literatur die Thematisierung der Weltlosigkeit des Menschen.

«Menschen ohne Welt» waren oder sind diejenigen, die gezwungen sind, innerhalb einer Welt zu leben, die nicht die ihrige ist, einer Welt, die, obwohl von ihnen in täglicher Arbeit erzeugt und in Gang gehalten, «nicht für sie gebaut» (Morgenstern), nicht für sie da-ist; innerhalb einer Welt, für die sie zwar gemeint, verwendet und «da» sind, deren Standards, Abzweckungen, Sprache und Geschmack aber nicht die ihrigen, ihnen nicht vergönnt sind.[238] Mit dieser Aussage wird deutlich, daß es Anders bei seinen Untersuchungen zur Kunst nicht um ästhetische Probleme geht, sondern – hier zeigt sich seine Affinität zu Adorno – Kunst für ihn «fait social» ist. Gerade bei der Lektüre seiner größeren Arbeiten über Döblin und Kafka in *Mensch ohne Welt* und als deren Zuspitzung seines Beckett-Aufsatzes aus der *Antiquiertheit des Menschen I* bewegen wir uns unversehens ins Zentrum seiner Philosophie. Anders' Untersuchungen gehen über Marx' Grundthese vom Nichtbesitz der Produktionsmittel in den Händen der Arbeiter hinaus. Er zielt auf die Ontologie ab, genauer: auf etwas *negativ Ontologisches*[239], das dahingehend definiert wird, daß die Welt, die der Mensch *selbst herstellt, mindestens mit-herstellt, nicht*

seine Welt ist, daß er in dieser nicht zuhause ist, so wenig zuhause ist, wie der Bauarbeiter in dem von ihm mit-errichteten Gebäude zuhause ist... Der Ausdruck «Mensch ohne Welt» bezeichnet also eine Klassentatsache.[240]

Menschen ohne Welt in einer potenzierten Bedeutung sind die Arbeitslosen, die *ihre Ketten nicht nur nicht verlieren durften oder verlieren konnten, sondern noch nicht einmal hatten tragen dürfen*[241]. Sie sind für Anders das Paradigma der Antiquiertheit des Menschen, noch nicht einmal notwendig, um die Geräte zu bedienen. Vor allem in seinen Aufsätzen über Alfred Döblins «Berlin Alexanderplatz» und Samuel Becketts «Warten auf Godot» hat Anders durch Existenz- und Sprachanalyse diese gesteigerte Weltlosigkeit thematisiert.

Darüber hinaus meint Anders mit dem Begriff der Weltlosigkeit noch etwas Klassenunspezifisches, nämlich die Nichtfestgelegtheit des Menschen und die damit verbundene Forderung an die Spezies Mensch, ihre Welt und ihren Lebensstil täglich neu zu bestimmen und zu schaffen. Schon lange vor dem Sozialanthropologen Arnold Gehlen, dem das Urheberrecht an dieser These zugesprochen wird, hat Anders in den zwanziger Jahren in seinem Vortrag *Pathologie de la Liberté* auf diese Nichtfestgelegtheit des Menschen und den damit verbundenen Aporien hingewiesen.

Viertens bezeichne ich mit dem Ausdruck «Mensch ohne Welt»... den Menschen im Zeitalter des kulturellen Pluralismus; denjenigen Menschen, der, weil er an vielen, an zu vielen Welten gleichzeitig teilnimmt, keine bestimmte, und damit auch keine Welt hat.[242] Diese Feststellung mag zunächst verwundern, denn ohne Pluralismus könnte auch Anders seine Arbeiten nicht veröffentlichen und würde kein Gehör finden. Hier zeigt sich wiederum seine Verwandtschaft zur Kritischen Theorie, denn auch Adorno und Horkheimer thematisierten in der «Dialektik der Aufklärung» die Beliebigkeit von Kunst als Folge der Demokratisierung und des Pluralismus, vor allem in ihren Ausführungen zur amerikanischen Kulturindustrie. So erweist sich für Anders die Konjunktion «und» als eine verhängnisvolle Vokabel unserer Epoche der Endzeit. *An die Stelle der Égalité oder Gleichberechtigung der Bürger und der Klassen war gewissermaßen – darin bestand angeblich Demokratie – eine «Gleichberechtigung der Weltanschauungen» getreten... Als Bürger der sog. «freien Welt» ist es uns nicht erlaubt, auf den Gedanken zu kommen... daß unsere Bejahung des Pluralismus etwas moralisch und weltgeschichtlich Ausgefallenes darstelle.*[243]

In diesem Zusammenhang deutet der Komplex «Mensch ohne Welt» nicht daraufhin, daß keine existiere, sondern – Anders spielt hier auf die

Erfahrungen seiner Jugend in den zwanziger Jahren an – daß es zu viele gebe. Diese Einsichten erscheinen zunächst ketzerisch, weil sie dem Ideal der Toleranz, der Freiheit von Religion und Meinungsäußerung diametral entgegenlaufen. Es ist schwer auszumachen, was Anders eigentlich entgegensctzen will, er deutet es in einer Frage nach der Wahrheit an, *nach der Wahrheit, die keine Göttinnen neben sich duldet, und die die Anerkennung, auch nur die Erwägung von Pluralismus ausschloß*[244]; es fehlt abcr eine Definition dieses Wahrheitsbegriffs. *Warum gerade ich, obwohl in einem geradezu dogmatischen und monomanisch vertretenen Pluralismus großgeworden, diese pluralistische Existenz, die gleichzeitige Geltung aller Geltungssysteme und aller Stile als so qualvoll empfunden habe, das wüßte ich nicht zu erklären.*[245]

Im Vorwort von *Mensch ohne Welt* gibt Anders einige wenige biographische Aufschlüsse über Kontakte zu geflüchteten Schriftstellern und Geisteswissenschaftlern im Exil. Das Buch versammelt kulturhistorische Aufsätze über Döblins «Berlin Alcxanderplatz», über Franz Kafka, Bertolt Brecht, John Heartfield, George Grosz und Hermann Broch. Von Döblin über Kafka bis hin zu Beckett deutet Anders eine Steigerungskurve an, an deren Ende sich der Mensch auf buchstäblich «nichts» mehr beziehen kann.

Dcr 1931 entstandene Aufsatz *Der verwüstete Mensch* über Döblins Roman «Berlin Alexanderplatz» war Anders' erste literaturkritische Arbeit, in die er seine philosophischen Überlegungen einbezog. Für ihn waren die Arbeitslosen und Kriminellen das Symbol der Welt- und Sprachlosigkeit des Menschen. Döblin war von der Interpretation seines Romans beeindruckt und bemühte sich um die Publikation in einer Berliner Zeitung, die jedoch nicht zustande kam. 1933 begegneten sich Anders und Döblin erneut in Berlin und brachen ihren Kontakt nach einem heftigen Streit über die Einschätzung der politischen Lage ab. Jahre später tauchte der zum Katholiken konvertierte Döblin völlig mittellos in Los Angeles auf, er hatte kurz zuvor seinen Sohn im Krieg gegen Hitler verloren. Döblin wechselte seine politischen Ansichten sehr häufig, aber als Schreibender hat er sich in seiner Genauigkeit und historischer Detailtreue selbst übertroffen, *eine Schizo-Kondition, die bei Musikern, die trivial reden, aber tiefsinnig komponieren, die Regel sein mag, die ich aber bei Schriftstellern sonst nie erlebt habe*[246]. Anders beschreibt Döblin im amerikanischen Exil als einen hilfsbereiten alten Mann, mit dem er regelmäßigen, freundschaftlichen Kontakt hatte.

Alfred Döblins Buch gehört *zu den ganz wenigen Dokumenten, in denen die literarische Zerstörung der Realität legitim war – denn diese war gefordert durch das Sujet: die Realität der Zerstörung*[247]. «Berlin Alexanderplatz» ist ein negativer Roman, weil sich das Leben Biberkopfs und die Romanform, die Anders mit der Montagetechnik von John Dos Passos vergleicht, einander widersprechen. *Die Auflösung der Romanform ist ... rechtmäßig. Sie ist die wahre Darstellungsart desjenigen Lebens, das an Anständigkeit und Selbständigkeit glaubt und als solches scheitert.*[248] Nicht nur ein negativer, sondern – in der Erweiterung – ein negativ-bürgerlicher Roman, denn mit der sogenannten schlechten Gesellschaft, in der sich Franz bewegt, *hat sich die bürgerliche Gesellschaft selbst gestraft*[249]. *Der Verbrecher ist kein Gegner der bürgerlichen Gesellschaft, diese ist vielmehr sein Medium ... Sein Ideal – wie das des Mittelstandes – ist die Selbstherrlichkeit des Bürgers.*[250] Aber selbst dieser Welt kann Biberkopf nicht mehr angehören, er ist überflüssig, überall herausgefallen.

Diese spezielle Situation des Protagonisten Biberkopf hat Döblin in eine adäquate Sprache umgesetzt. *Die Transmissionen zwischen dem Gang der Worte und dem des Lebens sind zerrissen, die Rhythmen laufen ohne Übersetzungen, Punkte und Kommata ... das Leben selbst ... bleibt roher als sein eigenes Produkt, die Sprache.*[251] Biberkopf ist ein Opfer der Dinge, einer Welt, in der der Mensch nur noch Bestandteil des Geräteuniversums und der Arbeitslose im wahrsten Sinne des Wortes Abfallprodukt ist. Die deutliche Präsenz der Dinge drückt sich in ihrer Fähigkeit zu sprechen aus. Eine anonyme Instanz versucht Franz im Verlauf des Romans immer wieder zu warnen, kann sich ihm jedoch nicht verständlich machen; *selbst dieser übergeordneten Instanz vergeht schließlich das Hochdeutsch. Die Sprache infiziert sich am Objekt.*[252] Das Erschreckende offenbart sich – Anders vermag dies auch bei Döblin zu entdecken – in der Weltverlassenheit des einzelnen und daß in einem einzigen Schnittpunkt des «Jetzt» *jedes Wesen, jedes Einzelne, in dem Welt sich verkörpert, an allem anderen Seienden vorbei-lebt ... daß das Ganze des Seins, das durch das zusammenfassende Wort «Jetzt» angezeigt und berufen zu sein scheint, imaginär bleibt ...*[253]

Jedes Wesen ist durch sein Leben und durch sein Agieren ein Versäumnis des anderen, die Sprache kann nicht helfen, sie stellt sich als Betrug heraus, weil sie nur ein Sprechen über etwas ist. Relevant ist nicht der Protagonist Biberkopf, sondern die Welt, die ihn umgibt und ihn nicht teilhaben läßt. Döblin versucht diese Welt durch Assoziation einzufangen, es ist *ein Versuch, das Ganze im Einzelnen zu geben, freilich das Ganze des Chaos – darin unterscheidet sich der Sinn dieser Dialektik von aller bisherigen philosophischen, in der das Einzelne das Ganze des Systems mitgeben soll. Die Assoziation ist immer gerade bei Einzelnem, und ist dennoch als Assoziationsreihe alles; und so die einzige wahre Darstellungsart der Welt, die in ihrer Vielheit jeder Thematik zu widersprechen scheint.*[254]

Franz Biberkopf (Heinrich George) verläßt die Strafanstalt Tegel.
Aus dem Film «Berlin – Alexanderplatz» von 1931

Die Montage des Entferntesten in Döblins Roman ist ein Mittel, um das Nebeneinander der Ereignisse an einem Jetztpunkt darzustellen, und erinnert an die Ergebnisse von Anders' Untersuchungen zu Rundfunk und Fernsehen, in denen er die Aufhebung von Raum und Zeit konstatiert hat. Insofern war Döblin, der beim Schreiben seines Romans das Kulturphänomen Fernsehen nicht kennen konnte, ein «Avantgardist». *Jede Tat und jede Sache ist nun vieles: so ist jede auch nichts… Essen wird zum Hineinstecken aufgespickter Fleischteile in Kopföffnungen. Stehlen zum wortlosen Transport eines Dinges von hier nach dort, Tanzen zur widersinnigen Prozedur. Ihrer Namen beraubt, verschwinden die Dinge im Zwielicht... Zwielichtig geworden mit ihnen, rechtfertigt der Dieb seine anonymen Griffe; und leugnet er alle Namen der Dinge, so rächt er sich an jener Welt, in der er selbst keinen Namen trägt.*[255] Werner Fuld weist in einem Aufsatz über Anders auf die Tatsache hin, daß damit die philosophische These «Mensch ohne Welt» zur soziologischen Aussage transformiert ist.[256]

Die Nichtfestgelegtheit des Menschen vermag Anders vor allem in seinem Kafka-Aufsatz, der 1951 in der Bundesrepublik erschien, nachzuweisen. In seinem Vortrag *Theologie ohne Gott*, den er 1934 erstmals im Pariser Institut d'Études Germaniques hielt, trat Anders der aufkommenden Kafka-Mode entgegen, die erst im Deutschland der Nachkriegszeit und Anfang der fünfziger Jahre virulent werden sollte. Auch hier war er Avantgardist und seiner Zeit voraus, ein immer zu *früh Kommender*, wie er sich selbst einmal bezeichnet hat. Anders verwarf die – der Kafka-Mode inhärente – mystifizierende Interpretation seines Werks und stellte Kafka gegen seine Interpreten, die ihn als Allegoriker oder Symbolisten sahen, als realistischen Fabeldichter vor. Während Biberkopf aus der Welt geworfen ist, sind die Figuren Kafkas noch nicht einmal in ihr angekommen. Obwohl Anders die Texte wegen ihrer sprachlichen Vollkommenheit faszinierten, stießen ihn die inhaltlichen Implikationen ab. Ihre *Unterwürfigkeits- und Assimilationsneigung* und ihr *negativer Narzißmus*[257], das Suchen nach Schuld, wo keine war, hinderten ihn zunächst an der Auseinandersetzung mit Kafkas Romanen, auch weil die Konfrontation der Emigranten in Frankreich mit seiner unsinnig erscheinenden Bürokratie zu sehr an dessen Werk erinnerte. Um Geld zu verdienen, hielt Anders seinen Vortrag und stieß auf völliges Unverständnis, weil Kafka in Frankreich noch unbekannt war. Im amerikanischen Exil wurde der Aufsatz noch einmal in veränderter Form veröffentlicht und konnte auch hier keine Resonanz finden. Erst in den fünfziger Jahren trafen Anders' polemische Thesen auf das richtige Publikum und hatten – zunächst für ihn überraschend – ein *ziemlich vernehmbares Echo*[258]. Die Begeisterung der Deutschen für Kafka resultierte nach Anders aus einem Schuldgefühl, denn *daß sich die Nachkriegsdeutschen in diese Gegenfigur verguckt... haben, ist psychologisch plausibel. Durch die Vergötterung Kafkas löschte man die Tatsache, daß man dessen Millionenfamilie umgebracht hatte, wieder aus.*[259]

Kafka als realistischer Fabeldichter verwendet im Gegensatz zu den bekannten Tierfabeln, in denen Tiere zum Subjekt werden, normale Geräte des Alltags und verleiht ihnen menschliche Eigenschaften. Seine Romane und Erzählungen erinnern an künstliche Experimentalsituationen

130

Franz Kafka, 1917

und Versuchslabore, die äußere Einflüsse auf ein Minimum reduzieren. Kafka normalisiert das Verrückte, um es sichtbar zu machen. Für Anders, den Philosophen der Technik, sind die Dinge längst zum Subjekt der Geschichte geworden, was sich schon bei Kafka durch die Tatsache andeutet, daß die Geräte bei bloßem Ansehen ihren eigenen Charakter nicht preisgeben, genau wie die Zyklon-B-Dosen, die nichts über die schreckliche Wirkung ihres Inhalts aussagen. Im Gegensatz zu den alten Fabeln ist der unmenschliche Mensch nicht mehr tierisch, sondern verdinglicht: *Menschen sind Sachen.*[260] *Nicht die Gegenstände und Ereignisse als solche sind bei Kafka beunruhigend, sondern die Tatsache, daß seine Wesen auf sie wie auf normale Gegenstände oder Ereignisse – also unerregt – reagieren. Nicht daß Gregor Samsa am Morgen als Käfer aufwacht, sondern daß er*

Zyklon B

darin nichts Staunenswertes sieht, diese Alltäglichkeit des Grotesken macht die Lektüre so entsetzenserregend.[261] Durch das fehlende Entsetzen und eine unsensationelle Sprache entsteht eine Mischung von Grauen und Gemütlichkeit, woraus Anders die Berechtigung ableitet, in Kafka den Propheten der Vernichtungslager zu sehen. Denn auch hier betrachteten die Aufseher das Töten als unangenehme Arbeit, die sie durch einen schönen Feierabend im gemütlichen Heim verdrängen konnten. Indem also Kafka den Menschen auf seine Funktion reduziert darstellt und den Beruf zur ausschließlichen Existenzform des Menschen machte, antizipierte er die Rolle der Opfer und Täter in den Vernichtungslagern. Die Figur des Prüglers im «Prozeß», der seine Arbeit nicht hinterfragt, sondern seinen «Beruf» gewissenhaft ausübt, ist das Pendant des Angestellten im Konzentrationslager. Und mit seiner Darstellung, nach der ein Mensch ohne Papiere kein Mensch mehr ist, hat Kafka die Situation der Emigranten des Dritten Reiches vorweggenommen.

Bilder in der Literatur sind nicht einfach nur Bilder, auch wenn sie Vertrautes darstellen, können sie die Chance einer Urteilsrevision bieten. Kafkas Bilder sind jedoch *Bilder von Bildern... Da er seine Bilder zweiten Grades skrupelhaft und bis ins letzte Detail durchzeichnet, ergibt sich eine Diskrepanz zwischen extremer Unwirklichkeit und extremer Genauigkeit; diese Diskrepanz erzeugt nun ihrerseits eine Schockwirkung; und diese Schockwirkung wiederum das Gefühl der akutesten Wirklichkeit.*[262]

Kafkas Biographie gibt Auskunft darüber, daß er sich keiner Gruppe zugehörig fühlte: Durch seine Assimilation war er weder Christ noch Jude, er gehörte weder zu den Tschechen noch zu den Deutschen, nicht zu den Bürgern, nicht zu den Schriftstellern und erst recht nicht zu seiner Familie. Sein Seinsbegriff ist von dem Gefühl des Ausgeschlossensein bestimmt: Immer wieder beschreibt er in vielfältiger Variation die Situation des Außenseiters und das Scheitern seiner Bemühungen, in die Gemeinschaft aufgenommen zu werden. Sein Jenseits und seine Utopie ist die Welt selbst, zu der er nicht zugelassen wird. Indem er sie aber anerkennt und nicht in Frage stellt, wie der Landvermesser K. im «Schloß», das Unrecht also bei sich selbst sucht, schafft er nach Anders die Übereinstimmung zwischen sich und der Machtwelt. Der Fremdling und Dazugekommene bei Kafka reflektiert nicht, sondern hat die Sicht derjenigen angenommen, die nichts mit ihm zu tun haben wollen. Der Unterschied zwischen objektivem Geschehen und subjektiver Beurteilung ist verwischt. Da die Herrschenden nichts als «böse Mächte» sind, muß der um Aufnahme Suchende jede ihrer Bedingungen erfüllen, ohne sie zu hinterfragen. Das bestimmende Motiv ist bei Kafka sein durch nichts gerechtfertigtes schlechtes Gewissen. *Alle philosophischen Aphorismen Kafkas beweisen, daß Kafka den Versuch der Justifikation nicht nur beschreibt, sondern dieses zweideutige Unternehmen bejaht und selbst versucht. Auch Kafka ist in gewissem Sinne ein Moralist der Gleichschaltung.*[263]

Da sich die Protagonisten Kafkas «vor» einer Welt befinden, zu der ihnen der Zugang verwehrt bleibt, und diese Situation nicht in Frage stellen, bildet die Frau – wie in der literarischen Tradition des 19. Jahrhunderts – die einzige Lücke in dem undurchdringlichen Mauerwerk. Liebe wird zum Religionsersatz, kann partiell Zugang verschaffen, und die Sexualität ist identisch mit Mitleid. Die Freiheit als Angsttraum ist für Anders eine mögliche Erklärung der Kafka-Faszination in den fünfziger Jahren.

Inversionen – wie die von Ursache und Wirkung (die Anklage steht vor der Schuld) – spiegeln eine Gesellschaft wider, in der beispielsweise Armut ihre eigene Strafe ist. Literarisch löst Kafka diese Inversionen durch Übersetzung von Bildern in Sprache. Indem er Präpositionen ihre ursprünglich räumliche Dimension zurückerobern läßt und damit die Sprache beim Wort nimmt, weckt er den *verschütteten Bildsinn der Sprache*[264].

Bei der Untersuchung der Sprache Kafkas hat Anders festgestellt, daß hier eine Affinität zur Diktion des Schalterbeamten und des Antragstellers besteht. Kafkas *Protokollsprache*[265] suggeriert dem Leser die Legitimation einer Ordnung des Grauens, gegen die ein Aufbegehren unmöglich erscheint. In einem Essay über Brecht deutet Anders an, daß dessen Protagonisten sich ebenso wie bei Kafka in einer juristischen Welt bewegen. *Jedes der Brechtschen Stücke könnte der «Prozeß» heißen... Nur... daß Br. den Zuschauer urteilsreif machen will und fähig, Vorurteile als solche zu durchschauen; daß er im Urteilen unterrichtet, daß er richtiges und falsches Urteilen vormacht.*[266]

Daß sich bei Kafka verschiedene Autoritäten zu einer einzigen Autorität verdichten, es nur noch Befehle ohne Befehlende gibt und Kafka sich als Apologet dieser Geisteshaltung herausstellt, könnte eine weitere Erklärung für die Kafka-Mode der fünfziger Jahre sein. Das Grauen der Vergangenheit wird als Kunst genossen und erinnert, um ohne großen Schaden die eigene Schuld anzuerkennen und die eigene Armseligkeit als Mitläufer zu vergessen. Anders' Untersuchungen zu Kafka kann man zu Recht als literatursoziologische Interpretation im Sinne Leo Löwenthals sehen, weil er sowohl die Rezeption von Kafkas Werken als auch dessen Biographie einbezieht und nicht nur werkimmanent interpretiert.

Kafka will das Paradies nicht herstellen, sondern betreten. Er ist kein jüdischer Theologe, sondern ein Theologe des jüdischen Daseins.[267] An eine Weltveränderung dachte Kafka nicht, sondern – so Anders – höchstens an die eigene, um endlich zu «passen». *Aber auch das blieb «frommer» Wunsch: Denn entscheidend ist eben, daß Kafka nicht wußte, w e l c h e r Welt, w e l c h e m Paradies er zugehören sollte: ob der Welt des jüdischen Volkslebens, ob der zionistischen Bewegung, ob der umfangreicheren aller Erniedrigten und Beleidigten oder schließlich «d e r» Welt ... also der Machtwelt. Wenn, wie er es ausdrückt, die «Vertreibung»*

Samuel Beckett (links) auf einer Probe zu «Warten auf Godot», 1975.
Rechts neben Beckett Stefan Wigger, Carl Raddatz und Horst Bollmann

*für ihn «ewig» war, so also deshalb, weil er sich für kein b e s t i m m t e s
Paradies entschied.*[268]

Während Biberkopf sich noch in einer Welt befand, ihr aber nicht mehr
zugehörig war und Kafkas Landvermesser K. immerhin noch das vielleicht unsinnige Ziel hatte, ins Schloß zu gelangen, wollen die Protagonisten von Becketts «Warten auf Godot» überhaupt nichts mehr. Um ihre
absolute Weltlosigkeit angemessen darzustellen, bedarf es ungewöhnli-
cher dramatischer Mittel, die den Rahmen der Tragödie überschreiten.
So wird «Warten auf Godot» zu einer *ontologischen Farce*[269]. Das Thea-
terstück erzählt keine Geschichte, die Protagonisten sind geschichtslos; es
kennt keine Handlung, sondern berichtet über nicht-handelndes Leben.

«Warten auf Godot» ist eine Parabel, die sich durch Inversion auszeichnet. Es ist eine Fabel, deren Form zerstört und *zur angemessenen Fabel
vom n i c h t w e i t e r g e h e n d e n L e b e n*[270] wird. Während in alten Fabeln
das Tier den Menschen verkörperte, bei Brecht der Räuber als Spießer
agierte, kehrt Beckett die sinnlose Parabel vom Menschen in die *Parabel
vom sinnlosen Menschen*[271] um. *Estragon und Wladimir sind durchaus als
«Menschen überhaupt» gemeint... Da sie, abgerissen von der Welt, auf dieser nichts mehr zu suchen haben, finden sie auch nichts mehr auf ihr, auch
sie wird also abstrakt...*[272]

135

Günther Anders

Die beiden Hauptpersonen sind faule, paralysierte Clowns, deren Komik aus der Verwechslung von *Seiendem und Nichtseiendem*[273] resultiert. Da für sie die Welt nicht mehr da ist, haben sie auch keine Veranlassung, sich auf sie einzulassen. Weil es Millionen von Menschen versperrt ist, zu handeln und zielgerichtet zu arbeiten, das Tun also zur Variante der Passivität geworden ist, sind Wladimir und Estragon das Paradigma des modernen Massenmenschen. Während der heutige Mensch versucht, mit seinen Hobbys das zu erobern, was ihm im Arbeitsprozeß verlorengegangen ist, sind die beiden Protagonisten der Aufgabe der Freizeitgestaltung schon nicht mehr gewachsen und demonstrieren überzeugend, daß unser «Spielen» phantomhafte Züge trägt. Sie tun «als ob», wobei sie nicht pathetisch oder heroisch sind und keine Verzweiflung kennen. Und obwohl sie auf nichts Bestimmtes warten, beziehen sie ihre Legitimation

aus ihrer Phantasie. *Godot ist nichts als der Titel für die Tatsache, daß Dasein, das sinnlos weitergeht, sich selbst als «Warten», «etwas erwarten», mißversteht.*[274]

Es kommt Beckett auf das «Warten» an, auf eine Beschreibung dieser «Tätigkeit». Trotzdem sind Wladimir und Estragon für Anders keine Nihilisten, denn sie sind als optimistische Ideologen die Verteidiger eines Sinnbegriffs in einer sinnlosen Welt. Ihre einzige Stärke ist die Komik, mit der sie die Unfähigkeit des Menschen, Nihilist zu sein, unter Beweis stellen. In ihrem Agieren gleichen sie der jahrhundertealten Rolle des «gehörnten Ehemanns», der von dem an ihm begangenen Betrug nichts weiß oder um der Ehre willen die Wahrheit ignoriert.

«Warten auf Godot» ist auch ein Spiel über die Zeit, oder besser: über die Neutralisierung von Zeit. Die Gespräche und Ereignisse bewegen sich im Kreis, zum Schluß scheint es, als würde die Zeit stehen. Als dramatisches Mittel der Darstellung von Zeitneutralität wird der erste Akt mit geringfügigen Variationen wiederholt. Ohne Zeit gibt es keine Erinnerung. Die verschiedenen Tätigkeiten dienen im wahrsten Sinne des Wortes als «Zeitvertreibung», Tun und Gefühle werden nur gespielt. Dieses Minimum an Tätigkeit nimmt Sekunden, höchstens Minuten ein. Daß zwei Personen auf der Bühne agieren, ist nicht nur ein dramatisches Mittel des Autors. Vielmehr hilft die Geselligkeit über das Warten hinweg.

Die Gegenspieler Pozzo und Lucky verkörpern für Anders die Hegelsche Denkfigur von «Herr und Knecht», nach der sich Menschen in der Auseinandersetzung mit anderen definieren. *Sie gelten nun als das Wirkliche: denn was «ist», ist Herrschaft und Kampf um Herrschaft; und sie allein – und damit sind wir am entscheidenden Punkte – als Motor der Zeit: denn Zeit ist Geschichte...*[275] Durch ihren Auftritt werden die Gesetze der «Godot-Welt», an die sich der Zuschauer nach anfänglichem Widerwillen gewöhnt hat, nachhaltig gestört. Ihnen kommt die Funktion der Desillusionierung zu. *Der Auftritt, in dem Dialektik vorgeführt wird, ist selbst dialektisch: und wenn es einen so intrigierenden Eindruck macht – nicht nur auf uns, sondern auch auf Estragon und Wladimir, die während der Begegnung eine gewisse Scheu niemals überwinden können –, so ist das ausreichend begründet.*[276]

137

Anders' Resümee von «Warten auf Godot» ist optimistisch: *Der Versuch, diesem Bild von Mensch und Welt noch irgendwelche positive oder gar tröstliche Züge abzuzwingen, liefe nach alledem auf bloße Beteuerung hinaus.* Und trotzdem unterscheidet sich Becketts Stück in einem Punkte von fast allen jenen nihilistischen Dokumenten, in denen sich die Gegenwart literarisch ausspricht: im Ton.[277] Die Figur des Clowns ist weder zynisch noch ernst, sondern von einer Traurigkeit, die dem Zuschauer nahegeht und ihn berührt. *Die Farce scheint zum Refugium der Menschenliebe geworden zu sein; die Komplizenhaftigkeit der Traurigen zum letzten Trost... sie beweist, daß Wärme wichtiger ist als Sinn; und daß es nicht der Metaphysiker ist, der das letzte Wort behalten darf, sondern nur der Menschenfreund.*[278]

für den Anders

Anmerkungen

Folgende Werke von Günther Anders werden abkürzend zitiert:

A I = Die Antiquiertheit des Menschen I. München 1987
A II = Die Antiquiertheit des Menschen II. München 1987
AD = Die atomare Drohung. München 1981
BIH = Besuch im Hades. München 1979
GA = Günther Anders antwortet. Interviews und Erklärungen. Berlin 1987
HÜ = Hiroshima ist überall. München 1982
LG = Lieben gestern. München 1986
MOW = Mensch ohne Welt. München 1984
SW = Die Schrift an der Wand. München 1967
TG = Tagebücher und Gedichte. München 1985

1 SW, S. 349 f.
2 GA, S. 176
3 W. Stern: Psychologie der frühen Kindheit. Heidelberg 1965, S. VII (im folgenden: Stern)
4 Stern, S. 302 f.
5 G. Anders, in: Stern, S. XIII
6 G. Anders, in: Stern, S. XIII f.
7 G. Anders, in: Mein Judentum. München 1986, S. 55
8 GA, S. 28
9 Mein Judentum, S. 62
10 SW, S. 389 f.
11 M. Greffrath: Die Zerstörung einer Zukunft. Reinbek 1979, S. 27 (im folgenden: Greffrath)
12 SW, S. 279
13 SW, S. 282
14 SW, S. 285 f.
15 G. Anders, in: Stern, S. XV f.
16 GA, S. 26
17 GA, S. 17
18 GA, S. 22 f.
19 Adorno-Preisrede. In: Frankfurter Rundschau, 12. 9. 1983
20 Volker Hage: Günther Anders. In: FAZ-Magazin, 8. 2. 1985
21 GA, S. 30
22 GA, S. 30
23 GA, S. 31
24 GA, S. 31
25 Vgl. Elisabeth Young-Bruehl: Hannah Arendt. Leben und Werk. Frankfurt a. M. 1986, S. 154 f.
26 GA, S. 34
27 GA, S. 35
28 GA, S. 102
29 A I, S. 29
30 A II, S. 24
31 GA, S. 98 f.
32 SW, S. 204 f.
33 SW, S. 212

34 Forum Wien. Heft Juli/August
1988, S. 61
35 Forum, S. 60
36 Forum, S. 62
37 Forum, S. 63
38 SW, S. 2
39 SW, S. 2
40 SW, S. 2
41 SW, S. 3
42 SW, S. 15 f.
43 SW, S. 16
44 GA, S. 102
45 Werner Fuld: Walter Benjamin.
Zwischen den Stühlen.
Frankfurt a. M. 1981, S. 267
46 GA, S. 38
47 TG, S. 17 f.
48 SW, S. 64
49 SW, S. 21
50 LG, S. 26
51 LG, S. 27
52 SW, S. 85
53 SW, S. 85
54 LG, S. 13
55 LG, S. 10
56 LG, S. 77
57 LG, S. 80
58 LG, S. 81
59 LG, S. 79 f.
60 LG, S. 81
61 LG, S. 96 f.
62 LG, S. 117
63 LG, S. 121
64 LG, S. 88
65 Theodor W. Adorno: Prismen.
Kulturkritik und Gesellschaft.
Frankfurt a. M. 1976, S. 115
66 GA, S. 181 f.
67 Vgl. Gabriele Althaus: Leben
zwischen Sein und Nichts.
Berlin 1989
68 A I, S. 23 f.
69 A II, S. 37
70 A I, S. 136 f.
71 A I, S. 133
72 A I, S. 133
73 A I, S. 138
74 A I, S. 114
75 A I, S. 138
76 A I, S. 139
77 A I, S. 117
78 A I, S. 134
79 A I, S. 112
80 A I, S. 178
81 A I, S. 161
82 A I, S. 197
83 A I, Vorwort, S. VIII
84 TG, S. 107
85 SW, S. 105
86 SW, S. 105 f.
87 TG, S. 109
88 TG, S. 165 f.
89 TG, S. 113
90 TG, S. 113
91 TG, S. 115
92 TG, S. 116 f.
93 TG, S. 136
94 TG, S. 177
95 TG, S. 161
96 TG, S. 162
97 TG, S. 163
98 TG, S. 163 f.
99 TG, S. 165
100 TG, S. 171
101 Vgl. H. Arendt: Was heißt persönliche
Verantwortung unter einer Diktatur?
In: Hannah Arendt: Nach Auschwitz.
Essays und Kommentare 1. Berlin
1989, S. 81 f.
102 TG, S. 172
103 TG, S. 173
104 TG, S. 183
105 TG, S. 184 f.
106 TG, S. 190
107 A I, S. 235 f.
108 Greffrath, S. 44
109 GA, S. 42
110 Greffrath, S. 44 f.
111 Endzeit und Zeitenende. München
1981, S. 209
112 A I, S. 236 f.
113 Vgl. GA, S. 79
114 A I, S. 265
115 A I, S. 240
116 A I, S. 242
117 A I, S. 249
118 A I, S. 251
119 A I, S. 255

120 A I, S. 256
121 A I, S. 256
122 A I, S. 256 f.
123 A I, S. 258
124 A I, S. 260 f.
125 A I, S. 264
126 A I, S. 267
127 A I, S. 268
128 A I, S. 272
129 A I, S. 272
130 A I, S. 267
131 A I, S. 277
132 A I, S. 278
133 A I, S. 280
134 A I, S. 280
135 A I, S. 281
136 A I, S. 283
137 A I, S. 284
138 A I, S. 185 f.
139 A I, S. 290
140 A I, S. 296
141 A I, S. 301
142 A I, S. 304
143 A I, S. 305
144 A II, S. 15
145 A II, S. 15
146 A II, S. 362
147 A II, S. 373
148 A II, S. 17
149 A II, S. 20
150 A II, S. 26 f.
151 A II, S. 22
152 A II, S. 21
153 A II, S. 22
154 A II, S. 24
155 A II, S. 25
156 A II, S. 26
157 A II, S. 27
158 A II, S. 28
159 A II, S. 30
160 A II, S. 32
161 A II, S. 32 f.
162 Vgl. Vorwort A II, S. 9 f.
163 AD, S. 104 f.
164 GA, S. 101
165 Vgl. Konrad Paul Liessmann: Günther Anders zur Einführung. Hamburg 1988, S. 79 f.
166 A II, S. 166
167 AD, S. 96
168 A II, S. 279
169 AD, S. 101
170 AD, S. 102
171 A II, S. 191
172 A II, S. 192
173 A II, S. 189 f.
174 AD, Motto
175 AD, S. 136
176 AD, S. 137 f.
177 GA, S. 67
178 GA, S. 67
179 HÜ, S. 3
180 HÜ, S. 4
181 Vgl. HÜ, Vorwort, S. XXXIV
182 HÜ, Vorwort, S. XXXIV
183 HÜ, Vorwort, S. XVII
184 Vorwort von Robert Jungk, in: Off limits für das Gewissen. Reinbek 1961, S. 13 (im folgenden: Off limits)
185 Off limits, S. 124 f.
186 Off limits, R. Jungk, Vorwort, S. 8
187 Vgl. Greffrath, S. 47 f.
188 Off limits, S. 20
189 HÜ, Vorwort, S. XXIV
190 HÜ, Vorwort, S. XXI f.
191 GA, S. 137
192 GA, S. 125
193 GA, S. 127
194 GA, S. 130
195 Greffrath, S. 49
196 Günther Anders: Gewalt – ja oder nein. Eine notwendige Diskussion. Hg. von M. Bissinger. München 1987, S. 23 f. (im folgenden: Gewalt)
197 Gewalt, S. 25
198 Vgl. Ketzereien. München 1982. S. 333 f.
199 GA, S. 174
200 G. Althaus: Leben, S. 8
201 SW, S. 270
202 Theodor W. Adorno: Negative Dialektik. Frankfurt a. M. 1982, S. 352
203 Greffrath, S. 44
204 GA, S. 19
205 GA, S. 19 f.
206 Arendt: Nach Auschwitz, S. 7
207 BIH, S. 208
208 Vgl. BIH, S. 208 f.
209 BIH, S. 209

210 BIH, S. 209 f.
211 BIH, S. 211
212 BIH, S. 179
213 BIH, S. 187
214 BIH, S. 188
215 BIH, S. 188
216 BIH, S. 190
217 BIH, S. 191
218 BIH, S. 193
219 BIH, S. 194
220 BIH, S. 214
221 BIH, S. 215
222 SW, S. 270
223 BIH, S. 203 f.
224 BIH, S. 204
225 BIH, S. 204
226 BIH, S. 205
227 BIH, S. 205
228 BIH, S. 205
229 BIH, S. 215
230 BIH, S. 206
231 Günther Anders: Wir Eich-
    mannsöhne. Offener Brief an
    Klaus Eichmann. München
    1964, S. 20
232 GA, S. 119
233 Vgl. GA, S. 115 f.
234 GA, S. 120
235 GA, S. 120
236 Ketzereien. München 1982
237 Vgl. Vorwort MOW, S. XI f.
238 MOW, S. XI
239 Vgl. Vorwort MOW, S. XI f.
240 MOW, S. XII
241 MOW, S. XIV
242 MOW, S. XV
243 MOW, S. XXIII
244 MOW, S. XXV
245 MOW, S. XXV
246 MOW, S. XXX
247 MOW, S. 3
248 MOW, S. 4
249 MOW, S. 9
250 MOW, S. 9 f.
251 MOW, S. 12
252 MOW, S. 18
253 MOW, S. 19
254 MOW, S. 20
255 MOW, S. 30
256 Vgl. W. Fuld: Günther Anders. In: Kri-
    tisches Lexikon der deutschen Gegen-
    wartsliteratur. 1985
257 MOW, S. XXXII
258 MOW, S. XXXVI
259 MOW, S. XXXIX
260 MOW, S. 50
261 MOW, S. 50
262 MOW, S. 53
263 MOW, S. 63
264 MOW, S. 74
265 MOW, S. 96
266 MOW, S. 141
267 MOW, S. 115
268 MOW, S. 115
269 MOW, S. 116
270 A I, S. 217
271 A I, S. 215
272 A I, S. 216
273 Vgl. A I, Sein ohne Zeit, S. 213 f.
274 A I, S. 220
275 A I, S. 228
276 A I, S. 229
277 A I, S. 230
278 A I, S. 231

Zeittafel

1902   Günther Anders wird am 12. Juli als zweites Kind des Psychologenehepaars William und Clara Stern in Breslau geboren

1915   Umzug der Familie nach Hamburg

1917   Der Fünfzehnjährige erfährt seine erste Konfrontation mit Krieg und Antisemitismus bei einem Ernteeinsatz in Frankreich

1919   Abitur und Beginn eines Philosophiestudiums

1921   Studium bei dem Phänomenologen Edmund Husserl in Freiburg

1924   Abschluß des Studiums mit einer Dissertation bei Husserl: *Die Rolle der Situationskategorie im Logischen*

1925   Besuch eines Seminars von Martin Heidegger zusammen mit Hannah Arendt

1928   *Über das Haben*. Erste philosophische Veröffentlichung

1929   Heirat mit Hannah Arendt, Arbeit an einem Habilitationsentwurf. Vortrag vor der Kantgesellschaft in Frankfurt *Die Weltfremdheit des Menschen* (1936 in Frankreich auf französisch publiziert)

1930   Ablehnung seines Habilitationsentwurfs für eine Musikphilosophie an der Universität Frankfurt. Feuilletonredakteur beim «Berliner Börsen-Courier» unter Herbert Ihering. Günther Stern veröffentlicht jetzt unter dem Namen Günther Anders. Arbeit an dem Roman *Die Molussische Katakombe*, einer Darstellung der Herrschaftsmechanismen des Faschismus

1933   Flucht nach Paris kurz nach dem Reichstagsbrand. Veröffentlichungen von zwei philosophischen Aufsätzen in einer französischen Philosophiezeitschrift. Weiterarbeit an der *Molussischen Katakombe*

Zeugnisse

Robert Jungk
Ein großer Moralist, ein hervorragend philosophisch geschulter und origineller Geist griff den «Fall Eatherly» auf, denn er hatte die zentrale, zeitgeschichtlich hervorragende Bedeutung dieser von allen anderen nur als interessante «Story» am Rande des Weltgeschehens behandelten «Affäre» erkannt.

Vorwort von: Off limits für das Gewissen, 1961

Hans Mayer
Er sitzt zwischen allen Stühlen, dieser aufgeklärte Moralist, der offensichtlich ein «Linker», für manche sogar ein «Ganz Linker» ist, und sich doch weder mit der apokalyptischen Theologie einläßt noch mit einem theologisierten Marxismus.

Die Zerstörung der Zukunft. In: Die Zeit, 1981

Hans Magnus Enzensberger
Daß der Autor sich gegen die Unterstellung zur Wehr setzen muß, er treibe bloß Tagesphilosophie, er werfe sich an journalistische Spezialitäten weg, läßt vernichtende Rückschläge auf die Lage der aktuellen deutschen Philosophie zu. Wo es als anrüchig gilt, sich mit den Leiden seiner eigenen Epoche zu beschäftigen, hat der Philosoph sein Recht verwirkt. Freuen wir uns, daß Anders das Scherbengericht der Lehrmeinung nicht scheut ...

Philosophie des Ärgers. In: Frankfurter Hefte, 1958

Manfred Bissinger
Günther Anders liefert für viele, die ihren Widerstand gegen die atomare Bedrohung anfänglich oft nur mit Gefühlen erklären konnten, den notwendigen Sauerstoff für die Durchblutung der Gedanken. Seine Wirkung resultiert dabei aus der Mischung von drei hervorragenden Eigenschaf-

ten: absolute Offenheit, eine schöne und präzise Sprache und die Fähigkeit des Philosophen, die eigene Rolle genau zu analysieren.

Gewalt – ja oder nein, 1987

Eckard Spoo
Günther Anders spricht eine offene Sprache, wie man sie hierzulande selten hört oder liest. Er spricht Wahrheiten aus, die in gewöhnlichen Politikerreden und Leitartikeln hinter einem Schwall von Wörtern verborgen bleiben. Seine klar formulierten Einsichten machen Lust zum Mit- und Weiterdenken, sie machen Mut, eigene nonkonformistische Einsichten nicht ängstlich zu unterdrücken ...

Gewalt – ja oder nein, 1987

Günter Kunert
Doch Günther Anders demonstriert durch sein eigenes politisches Engagement auf besondere Weise jenen Widerspruch, der uns allen eingeboren scheint: Sich in praxi nicht nach den eigenen Einsichten zu richten und gegen sein besseres Wissen zu handeln. Anders agiert namens seiner Hypothese höchst dialektisch, in dem er sie aktiv zu widerlegen versucht.

Laudatio zur Verleihung des Theodor W. Adorno-Preises, 1983

Heinrich Albertz
Wer öffentlich zur Gewalt aufruft, soll selbst bereit sein, ins Feuer zu gehen. Das wird der von mir sehr ernst genommene Günther Anders sicher nicht tun, nicht tun können. Er trägt nun die Verantwortung dafür, daß sich jeder Terrorist auf ihn berufen kann.

Gewalt – ja oder nein, 1987

Wolfgang Pohrt
Wenn Günther Anders der Kirche vorwirft, sie kümmere sich nur um das Seelenheil der Menschen und versäume es, sich energisch in lebenswichtige Fragen einzumischen, dann liegt es nahe zu fragen, ob er wirklich die Trennung von Kirche und Staat wieder rückgängig machen und der Kirche noch mehr Rechte einräumen will, als sie ohnehin schon besitzt.

Günther Anders, die Kirche und die Rüstung. In: Konkret, 1984

Helmut Gollwitzer
Wenige haben uns seit Jahrzehnten die Dialektik von Mittel und Ziel und die Umkehrung der nützlich erscheinenden Mittel in große Schadensauswirkungen so vor Augen geführt wie Anders in Überlegungen, die nicht zu Unrecht prophetisch genannt wurden.

Gewalt – ja oder nein, 1987

Klaus Meyer-Abich

Günther Anders hat sich verrannt. In einer Situation, in der uns das Industriesystem über den Kopf wächst, sind ihm die zu einfachen Antinomien zu Kopf gestiegen. Aber sein Notruf – denn nur so kann man seine Entgleisung verstehen – kommt zur Unzeit: Der politische Grundkonsens ist in der Bundesrepublik schon angespannt genug.

Die Wahrheit in Günther Anders' Irrtum. In: Die Zeit, 19. Juni 1987

Werner Fuld

Die Vielzahl der Themen und der literarischen Formen scheint dem Philosophen Günther Anders das Erreichen eines geschlossenen Systems ... zu verwehren. Als belletristischer Philosoph kann er keiner Schule zugerechnet werde; als philosophischer Belletrist aber unterliegt er nicht dem Wechsel litcrarischer Moden; seine Stilformen sind bewußt antimodernistisch und damit ebensowenig rasch überholbar wie ihrc Inhalte. Gerade der für eincn Philosophen unübliche Wechscl der Formen erlaubt es dem Schriftsteller Anders, sein Thema der Zerstörung des Menschen durch seine Produkte vielseitig und den Anlässcn adäquat durchzuführen.

In: Kritisches Lexikon zur deutschsprachigen
Gegenwartsliteratur, 1985

Bibliographie

Diese Bibliographie stützt sich hauptsächlich auf die von Werner Fuld (in: Kritisches Lexikon zur deutschsprachigen Gegenwartsliteratur) zusammengestellte Literaturübersicht und auf die im Anhang von *Mariechen. Eine Gutenachtgeschichte* von Günther Schiwy zusammengetragene Übersicht. Nicht vollständig berücksichtigt werden konnten Günther Anders' journalistische Arbeiten aus der Berliner Zeit und seine zahlreichen Arbeiten für das Wiener «Forum». Die Aufsätze für den «Merkur» wurden in die *Antiquiertheit des Menschen II* aufgenommen und sind nur teilweise aufgeführt.

Zur Phänomenologie des Zuhörens. In: Zeitschrift für Musikwissenschaft, 1927, S. 614 f. (unter: Günther Stern)

Über das Haben. Sieben Kapitel zur Ontologie der Erkenntnis. Bonn 1928 (unter: Günther Stern)

Über die sogenannte «Seinsverbundenheit» des Bewußtseins. In: Archiv für Sozialwissenschaft und Sozialpolitik, H. 64, 1930 (unter: Günther Stern). Wiederabdruck in: VOLKER MEJA, NICO STEHR (Hg.): Der Streit um die Wissensoziologie. Frankfurt a. M. 1982

Spuk im Radio. In: Anbruch XII, 2/1930, S. 65 (unter: Günther Stern)

Rilkes Duineser Elegien. In: Neue Schweizer Rundschau, 1932 (unter: Günther Stern, zusammen mit Hannah Arendt). Wiederabdruck in: ULRICH FÜLLEBORN, MANFRED ENGEL (Hg.): Rilkes Duineser Elegien. Bd. 2. Frankfurt a. M. 1982

Une Interprétation de l'A Posteriori. In: Recherches Philosophiques, 1935, S. 65–80 (unter: Günther Stern). Ins Französische übersetzter Vortrag: Über die Weltfremdheit des Menschen. Frankfurt a. M. 1930

Pathologie de la Liberté. In: Recherches Philosophiques, VI, 1936–1937, S. 22–54 (unter: Günther Stern)

Homeless Sculpture (über Rodin). In: Philosophy and Phenomenological Research, H. 2, 1944 (unter: Günther Stern)

Der «Tod des Vergil» und die Diagnose seiner Krankheit. In: Austro-American Tribune, 1945/1946. Wiederabdruck in: Mensch ohne Welt. München 1984

Nihilismus und Existenz. In: Neue Rundschau, H. 5, Stockholm 1946

On the Pseudo-Concreteness of Heidegger's Philosophy. In: Philosophy and Phenomenological Research, H. 3, 1948, S. 337–370 (unter: Günther Stern/Anders)

The Acustic Stereoscope. In: Philosophical and Phenomenological Research, H. 4, 1949

Emotion and Reality. In: Philosophical and Phenomenological Research, H. 4, 1950

Bild meines Vaters. In: WILLIAM STERN: Allgemeine Psychologie. The Hague [2]1950 (unter: Günther Stern-Anders)

Kafka – Pro und Contra. München 1951. Wiederabdruck in: Mensch ohne Welt. München 1984

Philosophie für wen? In: Die Sammlung. Zeitschrift für Kultur und Erziehung, Nr. 11, 1952. Wiederabdruck unter dem Titel: Über die Esoterik der philosophischen Sprache. In: Merkur H. 322, 1975; des weiteren in: Das Argument 128, 1981, und in: Günther Anders antwortet. Berlin 1987

Geleitwort zur 7. Auflage von WILLIAM STERN: Psychologie der frühen Kindheit. Heidelberg 1952 (unter: Günther Stern-Anders)

Dichten heute. In: RUDOLF IBEL (Hg.): Das Gedicht. Jahrbuch zeitgenössischer Lyrik 1954/55. Hamburg 1954

Über die Nachhut der Geschichte. In: Neue Schweizer Rundschau, Dezember 1954

Die Antiquiertheit des Menschen. Bd. I. Über die Seele im Zeitalter der zweiten industriellen Revolution. München 1956. Durch ein Vorwort erweiterte 5. Aufl. 1980

Gebote des Atomzeitalters. In: Frankfurter Allgemeine Zeitung, 13. 7. 1957. Wiederabdruck in: Hiroshima ist überall. München 1982

Faule Arbeit und pausenloser Konsum. In: Homo ludens. Januar 1959

Der Mann auf der Brücke. Tagebuch aus Hiroshima und Nagasaki. München 1959. Wiederabdruck in: Hiroshima ist überall. München 1982

Die Komplizen. In: Das Argument, H. 18, 1961

Offener Brief an Präsident Kennedy über die Affäre Eatherly. In: Das Argument. Flugblatt-Sonderausgabe Nr. 2. Leicht veränderter Wiederabdruck in: Off limits für das Gewissen. Reinbek 1961, und in: Hiroshima ist überall. München 1982

George Grosz. Zürich 1961. Wiederabdruck in: Mensch ohne Welt. München 1984

Off limits für das Gewissen. Der Briefwechsel zwischen dem Hiroshima-Piloten Claude Eatherly und Günther Anders. Hg. und eingeleitet von ROBERT JUNGK. Reinbek 1961. Wiederabdruck in: Hiroshima ist überall. München 1982

Der schleichende Atomkrieg. Erklärung. In: Das Argument, H. 20, 1961

Bert Brecht. Gespräche und Erinnerungen. Zürich 1962. Wiederabdruck in: Mensch ohne Welt. München 1984

Siamo tutti come Eichmann? In: Mondo Nuovo, 6. 1. 1963

Wir Eichmannsöhne. Offener Brief an Klaus Eichmann. München 1964

Der verwüstete Mensch. Über Welt- und Sprachlosigkeit in Döblins «Berlin Alexanderplatz». In: F. BENSELER (Hg.): Festschrift zum achtzigsten Geburtstag von Georg Lukács. Neuwied, Berlin 1965. Wiederabdruck in: Mensch ohne Welt. München 1984

Warnbilder. In: UWE SCHULZ (Hg.): Das Tagebuch und der moderne Autor. München 1965, Taschenbuchausgabe München 1982

Philosophische Stenogramme. München 1965

Die Toten. Reden über die drei Weltkriege. Köln 1965. Wiederabdruck in: Hiroshima ist überall. München 1982

Brechts «Leben des Galilei». In: Programmheft des Wiener Burgtheaters, 30. Oktober 1966. Wiederabdruck in: Mensch ohne Welt. München 1984

Über George Grosz. Vorwort in: Ecce Homo. Faks.-Ausgabe nach der 1923 im Malik-Verlag erschienenen Ausgabe. Hamburg 1966

Der Schrecken. Gedichte aus den Jahren 1933–1948. In: WILHELM R. BEYER (Hg.): homo homini homo. Festschrift für Joseph E. Drexel. München 1966. Wiederabdruck in: Tagebücher und Gedichte. München 1985

Die Schrift an der Wand. Tagebücher 1941–1966. München 1967. Wiederabdruck von Teil 1 in: Tagebücher und Gedichte. München 1985; von Teil 2 in: Besuch im Hades. München 1979

Nürnberg und Vietnam. Synoptisches Mosaik. Frankfurt a. M. 1967, Voltaire Flugschrift 6

Der Blick vom Turm. Fabeln. München 1968

Visit beautiful Vietnam. ABC der Aggressionen heute. Köln 1968

Der Blick vom Mond. Reflexionen über Weltraumflüge. München 1970

Eskalation des Verbrechens. Aus einem ABC der amerikanischen Aggression heute. Berlin 1971. [Teils Abdruck aus: Visit beautiful Vietnam. Köln 1968, teils Originalbeiträge]

Endzeit und Zeitenende. Gedanken über die atomare Situation. München 1972. Wiederabdruck, durch ein Vorwort erweitert, unter dem Titel: Die atomare Drohung. München 1981

Der falsche Samariter. In: WALTER JENS (Hg.): Der barmherzige Samariter. Stuttgart 1973

Über die Esoterik der philosophischen Sprache. In: Merkur, H. 322, 1975. Vgl.: Philosophie – für wen? 1952. Wiederabdruck in: Günther Anders antwortet. Berlin 1987

Die Konsequenzen der Konsequenzen der Konsequenzen. Jedes Kraftwerk ist eine Bombe. In: Neues Forum Wien, April/Mai 1977

Lieben gestern. In: Merkur, H. 7, 1977. Wiederabdruck in: Lieben gestern. München 1986

Kosmologische Humoreske. Erzählungen. Frankfurt a. M. 1978 [Enthält: Kosmologische Humoreske. 1954; Learsi. 1933; Der Hungermarsch. 1935; Rigonis. 1966; Der Ahnenmord. 1951; Zirkus Xaret. 1964; Politische Humoreske. 1973]. Neuausgabe unter dem Titel: Erzählungen. Frankfurt a. M. 1984

Mein Judentum. In: HANS JÜRGEN SCHULTZ (Hg.): Mein Judentum. Stuttgart 1978

Bertolt Brechts «Geschichten von Herrn Keuner». In: Merkur, H. 376, 1979. Wiederabdruck in: Mensch ohne Welt. München 1984

Wenn ich verzweifelt bin, was geht's mich an? Gespräch mit Günther Anders. In: MATHIAS GREFFRATH (Hg.). Die Zerstörung einer Zukunft. Gespräche mit emigrierten Sozialwissenschaftlern. Reinbek 1979. Wiederabdruck in: Das Günther Anders Lesebuch. Zürich 1984, und in: Günther Anders antwortet. Berlin 1987

Besuch im Hades: Auschwitz und Breslau 1966. Nach «Holocaust» 1979. München 1979. Vgl.: Die Schrift an der Wand. München 1967

Die Antiquiertheit des Menschen. Bd. II. Über die Zerstörung des Lebens im Zeitalter der dritten industriellen Revolution. München 1980

Die atomare Drohung. Radikale Überlegungen. München 1981. Neuausgabe von: Endzeit und Zeitenende. München 1972

Hiroshima ist überall. München 1982. [Enthält neben einer aktualisierten Einleitung: Der Mann auf der Brücke. 1959; Off limits für das Gewissen. 1961; Die Toten. Rede über die drei Weltkriege. 1965]

Ketzereien. München 1982

Die Tröstung. In: Tintenfisch H. 210, 1982

Erzählungen. Frankfurt a. M. 1984. Neuausgabe von: Kosmologische Humoreske. Frankfurt a. M. 1978

Mensch ohne Welt. Schriften zu Kunst und Literatur. München 1984. [Enthält neben unveröffentlichten Texten: Kafka – Pro und Contra. 1951; Bert Brecht. 1962; Brechts «Leben des Galilei». 1966; Bertolt Brechts «Geschichten von Herrn Keuner». 1979; Der verwüstete Mensch. 1965; Über Broch. 1945/46; George Grosz. 1961; George Grosz. 1966]

Das Günther Anders Lesebuch. Hg. von Bernhard Lassahn. Zürich 1984

Die Antiquiertheit des Hassens. In: R. Kahle, H. Menzner, G. Vinnai (Hg.): Haß. Die Macht eines unerwünschten Gefühls. Reinbek 1985

Ablehnungsbescheid. Offener Brief zur Ablehnung des Andreas-Gryphius-Preises. In: Frankfurter Rundschau, 14. 6. 1985. Wiederabdruck in: Günther Anders antwortet. Berlin 1987

Tagebücher und Gedichte. München 1985. Vgl.: Die Schrift an der Wand. München 1967; Dichten heute. Hamburg 1954

Lieben gestern. Notizen zur Geschiche des Fühlens. München 1986

Gewalt – ja oder nein. Eine notwendige Diskussion. Hg. von Manfred Bissinger. München 1987. [Enthält von G. Anders: Das Gespräch: Vom Notstand zur Notwehr; Die Zuspitzung 1: Vom Ende des Pazifismus; Die Zuspitzung 2: Die Atom-Resistance – neue ausgewählte Stücke zum Thema «Notstand und Notwehr»; ein Nachtrag: Nur an Wochenenden]

Günther Anders antwortet. Interviews und Erklärungen. Hg. von Elke Schubert. Berlin 1987. Mit einem Vorwort von H. M. Lohmann. [Enthält u. a. zahlreiche Interviews (mit Greffrath, Raddatz etc.); Die Esoterik der philosophischen Sprache; Ablehnung des Gryphius-Preises; Rede zur Adorno-Preis-Verleihung; Das fürchterliche Nur (Waldheim-Affäre)]

Mariechen. Eine Gutenachtgeschichte für Liebende, Philosophen und Angehörige anderer Berufsgruppen. München 1987. Mit einer ausführlichen Bibliographie

Ultima. In: Forum, Wien, H. 411/412 und H. 413/414, 1988

Die Molussische Katakombe. Roman. München 1992

Sekundärliteratur

Es existiert wenig Sekundärliteratur zu Günther Anders' Werk. Im folgenden sind die bisher vorliegenden vier Bücher und eine Auswahl von Aufsätzen zu Günther Anders aufgeführt.

Althaus, Gabriele: Leben zwischen Sein und Nichts. Drei Studien zu Günther Anders. Berlin 1989

Langenbach, Jürgen: Günther Anders. Eine Monographie. Wien 1986

Liessmann, Konrad Paul: Günther Anders zur Einführung. Hamburg 1988

–: Günther Anders kontrovers. München 1992

Aufsätze

ALTHAUS, GABRIELE: Der Blick vom Mond. Zur Philosophie von Günther Anders. In: Merkur H. 1, 1985, S. 15–24

AMÉRY, JEAN: Rückblick auf die Apokalypse. In: Die Zeit, 7. 7. 1972

ASSALL, PAUL: Über die Zerstörung des Menschen und des Lebens. Die Notwendigkeit an Günther Anders zu erinnern. In: Frankfurter Hefte, H. 1, 1981, S. 15–24

BRUMLICK, MICHA: Günther Anders. Zur Existentialontologie der Emigration. In: Zivilisationsbruch. Denken nach Auschwitz. Hg. von DAN DINER. Frankfurt a. M. 1988, S. 111–149

ENZENSBERGER, HANS MAGNUS: Philosophie des Ärgers. In: Frankfurter Hefte, H. 1, S. 62–64

FULD, WERNER: Günther Anders. In: Kritisches Lexikon zur deutschsprachigen Gegenwartsliteratur. Hg. von HANS LUDWIG ARNOLD. München 1978 [Enthält eine umfangreiche Sammlung von Aufsätzen über Günther Anders]

–: Die Logik der Apparate. In: Westermanns Monatshefte, H 4, 1984, S. 18–22

HAGE, VOLKER: Günther Anders. In: Frankfurter Allgemeine Magazin, 8. 2. 1985

JUNGK, ROBERT: Der Mensch ist viel zu alt. In: Die Zeit, 31. 1. 1957

KUNERT, GÜNTER: Laudatio auf den Adorno-Preisträger Günther Anders. Auszüge. In: Frankfurter Rundschau, 12. 9. 1983

LOHMANN, HANS-MARTIN: Günther Anders, der Atomstaat und das Gewalttabu. In: Günther Anders antwortet. Hg. von E. SCHUBERT. Berlin 1987, S. 3 f.

LANGENBACH, JÜRGEN: Anders. In: Stattbuch Wien. Wien 1983, S. 67–88

LÖFFLER, SIGRID: Endzeitgenosse. In: Profil, 4. 10. 1982

MAYER, HANS: Die Zerstörung der Zukunft. Günther Anders: Skizze zu einem Porträt. In: Die Zeit, 17. 7. 1981

MEYER-ABICH, KLAUS: Die Wahrheit in Günther Anders' Irrtum. (Zur Gewaltdebatte) In: Die Zeit, 19. 6. 1987

PAESCHKE, HANS: Auf dem Kopf gehen. In: Merkur H. 7, 1982, S. 732–736

POHRT, WOLFGANG: Günther Anders, die Kirche und die Rüstung. In: Konkret, H. 4, 1984

SCHMIDT-DENGLER, W.: Ein Modell der Kafka-Rezeption: Günther Anders. In: Was bleibt von Kafka. Kafka Symposium Wien 1983. Hg. von W. SCHMIDT-DENGLER. Wien 1985, S. 185–197

VINNAI, GERHARD: Die Innenseite der Katastrophenpolitik. Zur Sozialpsychologie der atomaren Bedrohung. In: Weltuntergänge. Hg. von H. BOEHNCKE u. a. Reinbek 1984

Namenregister

Die kursiv gesetzten Zahlen bezeichnen die Abbildungen

Über die Autorin

Elke Schubert ist Germanistin. Sie lebt als freie Journalistin in Berlin. 1987 hat sie das Buch «Günther Anders antwortet. Interviews und Erklärungen» herausgegeben.

Quellennachweis der Abbildungen

Günther Anders: 6, 10, 11, 12, 13, 14, 17, 21, 22, 24, 36, 39, 44, 61, 94, 97, 98, 136/137 (Foto: Johannes Lindenmeyer)

Ullstein Bilderdienst, Berlin: 9, 32, 63, 79 oben, 91, 102, 107, 115, 129, 131, 135

Archiv Edith-Stein-Karmel, Tübingen: 18 (wir danken Dr. E. Avé-Lallemant für die Überlassung des Fotos aus der Bayerischen Staatsbibliothek, München), 19 (wir danken Frau Dr. Christine Lipp für die Überlassung des Fotos aus dem Nachlaß ihres Vaters, des Phänomenologen Hans Lipps)

Martin Heidegger: 23

Theodor W. Adorno-Archiv, Frankfurt a. M.: 25

Lotte Köhler, New York: 26

Stadt- und Universitätsbibliothek, Max-Horkheimer-Archiv, Frankfurt a. M.: 27, 37, 40, 41

Gisèle Freund, Paris: 33

Arnold-Zweig-Archiv, Berlin: 38

Aus: Siegfried Zielinski: Audiovisionen. Kino und Fernsehen als Zwischenspiele in der Geschichte. Reinbek bei Hamburg 1989: 52

Methuen & Co Ltd., London: 54

Japan Graphic Inc., Tokio: 56

dpa Bildarchiv, Hamburg: 58, 70/71, 75, 76, 105, 112, 118, 122

Bilderdienst Süddeutscher Verlag, München: 77, 79 unten, 101

Staatliches Museum Oświęcim: 86, 87, 132

Keystone, Hamburg: 104

Associated Press, Frankfurt a. M.: 108

Studio X, Limours: 109 (Foto: Nowosti)

Archiv Verlag C. H. Beck, München: 110 (Foto: Sabine Dege), 124

Günther Anders
im Verlag C.H.Beck

Die molussische Katakombe
Roman. 1992.

Die Antiquiertheit des Menschen
Erster Band: Über die Seele im Zeitalter der zweiten industriellen Revolution.
1992. (BsR 319)
Zweiter Band: Über die Zerstörung des Lebens im Zeitalter der dritten industriellen Revolution.
1992. (BsR 320)

Hiroshima ist überall
Der Mann auf der Brücke (Tagebuch aus Hiroshima und Nagasaki, 1958).
Off limits für das Gewissen (Der Briefwechsel zwischen dem Hiroshima-Piloten Claude Eatherly und Günther Anders, 1959–1961). Die Toten (Rede über die drei Weltkriege, 1964).
1982.

Die atomare Drohung
Radikale Überlegungen.
1986. (BsR 238)

Besuch im Hades
Auschwitz und Breslau 1966.
Nach »Holocaust«
1985. (BsR 202)

Wir Eichmannsöhne
Offener Brief an Klaus Eichmann.
1988. (BsR 366)

Mensch ohne Welt
Schriften zur Kunst und Literatur.
1984.

Ketzereien
1991.

Der Blick vom Turm
Fabeln. 1988.
12 Abbildungen nach Lithographien von A. Paul Weber

Tagebücher und Gedichte
1985.

Lieben gestern
Notizen zur Geschichte des Fühlens.
1989. (BsR 377)

Über Günther Anders liegt vor:

Konrad Paul Liessmann (Hrsg.)
Günther Anders kontrovers
1992. (BsR 467)

rowohlts bildmonographien

Thema Philosophie

C 2054/8

rowohlts bildmonographien

**Thema
Philosophie**

C 2054/8 a